Exquise fascination

CAROLE MORTIMER

Exquise fascination

HARLEQUIN

Collection : Azur

Cet ouvrage a été publié en langue anglaise
sous le titre :
THE TAMING OF XANDER STERNE

Traduction française de
ELISHEVA ZONABEND

HARLEQUIN®

est une marque déposée par le Groupe Harlequin

Azur® est une marque déposée par Harlequin

HARLEQUIN
83-85, boulevard Vincent-Auriol, 75646 PARIS CEDEX 13
Service Lectrices — Tél. : 01 45 82 47 47
www.harlequin.fr
ISBN 978-2-2803-4343-5 — ISSN 0993-4448

1.

— C'est sympa d'attendre la fin de la semaine pour partir en voyage de noces, Darius, mais je n'ai absolument pas besoin de chaperon à demeure pendant les quinze jours où tu seras absent.

Xander ne cachait pas sa mauvaise humeur. Trop, c'était trop ! Son frère jumeau avait fait montre d'une grande sollicitude en venant s'installer dans son luxueux appartement londonien quatre semaines auparavant, mais il n'avait aucune envie que quelqu'un d'autre prenne le relais. En fait, il avait hâte de se retrouver seul chez lui.

Assis à l'autre bout du salon, Darius ne l'entendait pas de cette oreille :

— Il n'est pas question de chaperon, juste de quelqu'un pour t'aider dans tout ce que tu n'es pas encore capable de faire toi-même. Comme entrer dans la baignoire et en sortir, te sécher après ta douche, t'habiller, conduire, faire la cuisine.

— Le chauffeur de l'entreprise fera parfaitement l'affaire.

— Oui, pour tes trajets en voiture, mais pas pour le reste !

— Oh, arrête, Darius, ça fait six mois que je me suis cassé la jambe !

— Une triple fracture qui a nécessité deux opérations. Tu ne peux même pas rester debout plus de dix minutes.

Xander lança un regard contrarié à son frère, conscient

que ce dernier n'avait pas tort. Pourtant, au-delà des raisons évoquées, c'était autre chose qui préoccupait celui-ci, il en était sûr. Autant aborder le sujet de manière frontale…

— Le vrai problème n'est pas ce que je peux faire ou non, n'est-ce pas ?

Darius se figea.

— Que veux-tu dire ?

— Ce que je veux dire, c'est que je n'ai aucune envie de mourir. Oui, j'ai pris le volant quand je n'aurais pas dû le faire et oui, j'ai embouti ma voiture contre un lampadaire. Heureusement, je n'avais pas de passager et personne d'autre que moi n'a été blessé. Mais je ne l'ai pas fait délibérément. Je t'ai dit qu'à ce moment-là j'étais tellement en colère que je n'avais plus toute ma tête. J'étais vraiment *en colère*.

— Ça arrive à tout le monde, répondit Darius avec douceur.

— Ça faisait des mois que la colère montait en moi.

— Je sais.

Xander cilla, surpris.

— Ah bon ?

Son frère acquiesça d'un signe de tête.

— Tu travaillais trop et tu faisais trop la fête. Comme si tu essayais de fuir quelque chose… ou quelqu'un.

— Pour ce que ça m'a apporté !

Six semaines plus tôt, pour la première fois de sa vie, Xander avait pris conscience qu'il avait une propension à se mettre rapidement en colère. Pas une colère contenue comme celle de son frère, mais une colère noire, qui lui avait fait monter le sang à la tête au point qu'il aurait volontiers étripé l'homme qui l'avait mis dans un tel état ce soir-là.

Certes, l'homme en question avait insulté sa propre compagne à voix haute, dans le club privé dont Darius et lui étaient propriétaires. Une scène qui avait ravivé ses souvenirs d'enfance et lui avait rappelé la façon dont son père traitait sa mère.

Cette violence qui l'avait assailli, lui qui n'avait jusqu'alors jamais eu envie de frapper qui que ce soit, pas même le père qui le maltraitait lorsqu'il était petit, l'avait profondément alarmé. Lomax Sterne, brute épaisse et tyran domestique, était mort depuis plus de vingt ans sans que sa femme et ses deux fils n'aient éprouvé la moindre douleur. Xander n'avait plus jamais pensé à lui depuis et voilà que soudain, à l'âge de trente-trois ans, il avait pris conscience qu'il pouvait avoir hérité de la violence de son père. Cette découverte l'avait plongé dans le plus profond désarroi.

— Xander ?

La voix de Darius interrompit le cours de ses pensées.

— Arrête de te faire du souci. Je sais que cela faisait longtemps que la colère couvait en toi. Depuis ce dîner avec le président de la Compagnie bancaire de Toronto, il y a quelques mois. Il était accompagné de son épouse et n'avait cessé de la dénigrer de toute la soirée. Dégoûtés par sa conduite, nous avions décidé de ne pas traiter avec lui. C'est de ce jour que date ta colère, n'est-ce pas ?

— C'est vrai, admit Xander.

— Une colère refoulée qui a éclaté l'autre soir au club, et que tu as réussi à contrôler, continua Darius. Alors, cesse de te tracasser. C'est de l'histoire ancienne.

Facile à dire… Mais, pour l'heure, il s'agissait de faire comprendre à son frère qu'il ne voulait plus personne chez lui.

— Ce n'est pas que je sois un ingrat, Darius, fit-il en esquissant un sourire. Mais je n'ai tout simplement pas envie de me retrouver tous les matins pendant deux semaines à la table du petit déjeuner avec ce Sam Smith que tu as engagé pour me servir d'infirmier et de chien de garde. Je vois d'ici le genre de malabar taiseux qu'il doit être.

Darius émit un petit gloussement.

— Ah oui, ça ferait bien jaser les voisins s'ils pensaient que tu vivais avec un autre homme que ton frère, toi dont la réputation de play-boy milliardaire n'est plus à faire ! Heureusement pour toi, rien de tel ne risque d'arriver. Sam*antha* Smith est une femme.

Sous l'effet de la surprise, Xander se pencha en avant sur son siège.

— Sam Smith est *une femme* !

— Ravi de constater que l'accident n'a pas affecté ton audition, plaisanta son frère.

Ce dernier s'était bien gardé de dévoiler cette information avant le dernier moment. Toutefois, la perspective d'avoir une étrangère sous son toit emplissait Xander d'un sentiment de malaise.

— Et d'où la connais-tu ? demanda-t-il.

Darius sourit.

— C'est une amie de Miranda. Elle l'apprécie énormément et lui a même demandé de travailler avec elle à mi-temps à l'école de danse, après notre voyage de noces. Sa fille suit un des cours de Miranda…

— Attends, l'interrompit Xander d'un geste de la main. Tu n'avais pas mentionné qu'elle avait une gamine. Que compte-t-elle en faire pendant son séjour chez moi ?

— La prendre avec elle, bien sûr, déclara son frère, comme si cela coulait de source.

— Tu es complètement fou ou quoi ? explosa Xander en se mettant péniblement debout à l'aide de ses béquilles. Darius, je t'ai raconté ce qui m'était arrivé dans la boîte de nuit, il y a six semaines. Je t'ai confié comment j'avais eu du mal à me contrôler. Et maintenant, tu veux introduire un enfant sous mon toit ? Quel âge a-t-elle, la fille de Mme Smith ?

— Cinq ans, je crois.

Xander respira profondément pour se calmer.

— Tu comptes permettre à cette femme d'emmener une gosse de cinq ans dans mon appartement et en ma présence ? C'est une idée d'Andy, n'est-ce pas ? Tu lui as raconté ce qui m'était arrivé et…

— Tu ne m'avais pas interdit de le faire, que je sache, rétorqua Darius.

— En fait, je me moque que tu en aies ou non parlé à Andy, fit Xander avec un geste d'impatience. Après tout, elle va devenir ta femme et ma belle-sœur. Ce qui me dérange, c'est que faire venir Mme Smith et sa fille chez moi m'a tout l'air d'être, pour Andy, une façon de me montrer que je ne suis pas le monstre que je pense être. Ce qui est une tentative bien naïve de faire en sorte que j'aie une meilleure opinion de moi.

— Arrête avec ces sottises que tu t'es mises en tête, dit Darius d'un ton bienveillant, et regarde les choses en face. Tu as besoin de quelqu'un pendant mon absence. Samantha Smith fera tout à fait l'affaire. Miranda répond d'elle, et l'argent qu'elle touchera pour s'occuper de toi sera plus que bienvenu pour une mère célibataire qui a du mal à joindre les deux bouts. Point final.

Que Xander le veuille ou non, le débat était clos.

Certes, son luxueux appartement était plus que spacieux. Avec ses six chambres d'amis, sa salle de gymnastique, son home cinéma, ses deux salles de réception, son bureau lambrissé, son immense salle à manger et sa cuisine encore plus vaste, il était suffisamment grand pour qu'une douzaine de personnes y vivent sans se marcher les unes sur les autres. Le problème, c'était qu'il n'avait tout simplement aucune envie de le partager avec une femme qu'il ne connaissait pas, et encore moins avec sa fille de cinq ans.

Mais avait-il d'autre choix que d'essayer ?

Quand, quatre semaines auparavant, à sa sortie de

l'hôpital, Darius était venu s'installer ici pour s'occuper de lui, il avait fait preuve d'un amour fraternel sans limites.

Serait-il juste de lui gâcher sa lune de miel en lui donnant d'autres motifs d'inquiétude ?

2.

Les choses n'avaient pas traîné !

Deux jours après son entrevue avec les frères Sterne, Sam se trouvait confortablement installée avec Daisy dans la limousine que Darius lui avait envoyée.

— Est-ce que M. Sterne est gentil, maman ? demanda sa fille d'une petite voix.

Bonne question… Elle ne l'avait vu qu'une seule fois, alors que Daisy était à l'école, et il avait à peine parlé, laissant son jumeau conduire l'entretien. Ce n'est que vers la fin qu'il avait pris la parole pour aboyer une demi-douzaine de questions sur la scolarité de sa fille, et savoir combien de temps Daisy passerait dans son appartement. Son nouvel employeur lui avait clairement fait comprendre que, s'il était d'accord pour tolérer sa présence chez lui pour les deux semaines à venir, il se serait bien passé de sa fille. Elle aurait pu espérer mieux comme accueil. Hélas, quand on est pauvre, on ne fait pas la fine bouche…

Pourtant, sa situation financière n'avait pas toujours été aussi désespérée. Malcolm était loin d'avoir la fortune des frères Sterne, mais son ex-mari était un homme d'affaires prospère, propriétaire d'un hôtel particulier à Londres ainsi que d'une villa dans le sud de la France et d'une autre dans les Caraïbes.

Elle avait vingt ans et lui trente-cinq lorsqu'ils s'étaient rencontrés. Modeste assistante junior dans l'entreprise de Malcolm, elle était immédiatement tombée sous le charme de celui-ci, un beau brun affable et raffiné. Visiblement, l'attirance avait été réciproque, si bien qu'à peine deux mois après leur rencontre ils étaient mariés.

Samantha était alors éperdument amoureuse de son bel époux, mais les choses s'étaient gâtées lorsqu'elle lui avait annoncé, folle de joie, qu'elle était enceinte de deux mois. Malcolm et elle n'avaient jamais abordé la question des enfants. Elle avait appris brutalement qu'il n'avait pas l'intention de s'encombrer d'un marmot.

A l'époque, Sam s'était convaincue que c'était la réaction instinctive d'un homme qui allait être père pour la première fois à l'âge de trente-six ans. Pour elle, Malcolm ne pensait pas ce qu'il disait lorsqu'il lui avait suggéré d'interrompre sa grossesse. Ce qui pour elle, orpheline et sans famille, n'était pas envisageable. Elle s'était trompée...

Et lorsqu'elle avait refusé d'avorter, l'attitude de Malcolm avait changé du tout au tout. De ce jour, son époux avait fait chambre à part, comme si le corps de sa femme, qui se déformait, lui faisait horreur. Délaissée, Sam n'avait cependant pu se résoudre à ce que son mariage prenne fin au bout d'un an. Elle avait espéré que son couple survivrait à ce qu'elle avait cru être une crise passagère, que Malcolm se ferait à l'idée d'être père — soit avant, soit après la naissance du bébé.

Sur ce point aussi, elle s'était trompée.

Malcolm était resté dans la chambre d'amis, ignorant superbement sa grossesse, et il n'était pas allé la voir une seule fois à la clinique après la naissance de Daisy. Pire : il n'était pas à la maison quand elle était rentrée de la maternité, portant fièrement leur fille dans ses bras, et qu'elle l'avait installée dans la nurserie qu'elle avait passé des heures à décorer avec amour.

Sam avait lutté deux années de plus à essayer de sauver son mariage, persuadée que Malcolm ne pourrait indéfiniment ignorer l'existence de son enfant. Comment pourrait-il rester insensible à cette jolie petite fille ? s'était-elle répété.

Mais, lorsqu'elle avait compris que l'indifférence choquante de Malcolm était irrémédiable, elle avait admis sa défaite et décidé de quitter un homme qu'elle n'aimait plus depuis longtemps.

Trois ans avaient passé et le moins qu'elle puisse dire, c'était que, tant sur le plan sentimental que financier, les choses n'avaient pas été faciles. Pour élever sa fille, elle ne recevait rien d'autre que la maigre pension alimentaire versée chaque mois sur son compte bancaire au nom de Samantha Smith, son nom de jeune fille, son ex-mari ayant refusé qu'elle conserve son nom d'épouse, Howard. Ou plutôt elle y avait renoncé, comme elle avait renoncé à tous les cadeaux et bijoux que Malcolm lui avait offerts durant leur mariage, ainsi qu'à la prestation compensatoire à laquelle elle aurait pu prétendre en échange de la garde exclusive de sa fille adorée.

Comment un homme comme Xander Sterne, qui, avec son frère jumeau, possédait des entreprises prospères dans le monde entier, pourrait-il imaginer les sacrifices qu'elle devait faire pour payer ne serait-ce que des cours de danse à sa fille ? Comment pourrait-il comprendre les difficultés d'une mère célibataire à trouver un travail, compatible de surcroît avec les horaires scolaires de Daisy ?

Depuis que sa fillette était entrée à l'école, en septembre dernier, Sam n'avait pas eu trop d'options, à part des emplois de serveuse à l'heure du déjeuner. Sans parler des vacances scolaires où le problème tournait au cauchemar.

Heureusement qu'elle commençait bientôt un nouveau travail à l'école de danse d'Andy ! En attendant, les deux semaines qu'elle allait passer à s'occuper de Xander Sterne lui permettraient de payer ses factures de gaz et d'électricité. Et ce boulot, c'était aussi à Andy qu'elle le devait.

Elle allait donc vivre quinze jours dans la demeure d'un homme qu'elle n'avait rencontré qu'une seule fois, et en présence duquel elle ne s'était pas du tout sentie à l'aise. Il n'avait pas été carrément impoli envers elle, mais elle ne pouvait pas non plus dire qu'il avait été poli.

Alors, son nouvel employeur était-il *gentil* ?

Honnêtement, elle n'en avait pas la moindre idée. Tout ce qu'elle pouvait dire, c'était qu'il était l'incarnation de la virilité, avec ses épaules larges et musclées, sa taille bien prise, ses hanches étroites et ses longues jambes. Il avait une tignasse dorée, des yeux bruns et perçants dans un visage buriné, hâlé par le soleil, un long nez droit, des pommettes saillantes et une mâchoire carrée qui exprimait une détermination farouche. Quant à sa bouche pleine et pulpeuse, elle dénotait à coup sûr, avec sa lèvre supérieure plus charnue, une nature sensuelle — que sa réclusion forcée bridait certainement.

Sauf qu'il pouvait très bien recevoir ses conquêtes chez lui, après tout ! Sam se demanda comment elle n'y avait pas pensé plus tôt. Depuis le temps que les exploits de séducteur du milliardaire Xander Sterne faisaient les gros titres des journaux et des magazines, sa réputation de don Juan n'était plus à faire. Celles que l'on voyait photographiées à son bras, que ce soit lors d'avant-premières ou de soirées mondaines, étaient toujours belles, jeunes et sexy jusqu'au bout des ongles. Il était évident que ce n'était pas une jambe cassée qui allait ralentir l'activité de cet homme à femmes...

— Maman ?

La petite voix interrogative de Daisy vint lui rappeler qu'elle n'avait toujours pas répondu à sa fille.

— M. Sterne est très gentil, ma chérie, affirma-t-elle avec un grand sourire.

Elle évita de regarder en direction du chauffeur.

Autant ne pas croiser son regard à coup sûr sceptique dans le rétroviseur, qui la ferait passer pour une personne pas assez lucide pour deviner que Xander Sterne n'était pas quelqu'un qu'on qualifierait de « gentil ». Dynamique. Arrogant. Terriblement attirant. Mais *gentil* ? Pas spécialement.

— Tu crois qu'il va m'aimer ? ajouta Daisy avec une pointe d'appréhension dans la voix.

Le cœur de Sam se serra. Sa petite fille adorée avait tellement souffert de la totale indifférence de son père à son égard qu'elle ne savait trop à quoi s'en tenir avec les hommes.

— Bien sûr qu'il va t'aimer, mon ange.

L'arrogant Xander n'avait pas intérêt à dire ou faire quoi que ce soit susceptible de blesser sa petite fille ! Elle était déjà suffisamment vulnérable comme ça.

— Et dis-moi, tu as bien pensé à mettre nounours dans ta valise ? ajouta-t-elle pour changer de sujet.

Inutile d'angoisser Daisy alors qu'elle-même était inquiète pour deux…

Pour tromper son impatience, Xander arpentait les couloirs de son appartement en clopinant d'un pas lourd à l'aide de ses béquilles. Cela faisait plus d'une heure que Paul était parti chercher Samantha Smith et sa fille, et elles n'étaient toujours pas là. La possibilité que Mme Smith n'ait pas été prête à l'heure ne parlait pas en sa faveur.

Pourtant, elle ne lui avait pas fait une mauvaise impression lorsqu'elle s'était présentée chez lui deux jours auparavant.

A dire vrai, il avait tout d'abord été tellement surpris par son apparence qu'il n'avait su quoi penser ni quoi dire, au point de laisser Darius diriger l'entretien.

Pour commencer, elle paraissait si jeune qu'on se

demandait comment, à moins de s'être mariée au berceau, elle pouvait être la mère d'une enfant de cinq ans.

En outre, elle était si petite qu'elle ne devait guère mesurer plus d'un mètre cinquante, et presque aussi menue que sa future belle-sœur. Mais autant la minceur de Miranda était le résultat de sa pratique régulière de la danse, autant celle de Samantha semblait due à une alimentation insuffisante. En tout cas, c'était ce que ses joues creuses et les cernes autour de ses fabuleux yeux améthyste pouvaient laisser supposer.

Il n'y avait d'ailleurs pas que la couleur de ses yeux qui était saisissante. Elle avait des pommettes hautes parsemées de taches de rousseur, un petit nez mutin et une bouche pleine et sensuelle. Mais le plus étonnant, c'était une flamboyante chevelure rousse qu'elle avait attachée en queue-de-cheval et qui lui arrivait à la taille.

S'il était vrai que les rousses avaient un tempérament explosif, ce n'était pas vraiment l'impression qu'elle avait faite à Xander au cours de la demi-heure qu'avait duré l'entretien. Au contraire, la jeune femme avait répondu d'une façon posée aux questions de Darius, puis aux siennes, et à peine avait-elle osé le regarder derrière ses longs cils baissés. Quel étonnement cela avait été pour lui de découvrir l'incroyable couleur améthyste de ses yeux !

Elle était peut-être timide, ou bien elle n'aimait ni les play-boys ni les milliardaires et faisait contre mauvaise fortune bon cœur, en raison de la grosse somme d'argent promise par Darius.

D'après ce dernier, Samantha avait simplement été mal à l'aise de se retrouver le point de mire des deux frères. Ce qui était fort possible, après tout. Pris séparément, Darius et lui pouvaient déjà être passablement intimidants, mais les deux ensemble…

Quoi qu'il en soit, inutile de perdre son temps en considérations oiseuses. En l'état actuel des choses, il voulait bien supporter la présence de Mademoiselle Souris le temps que Darius et Miranda profitent de leur mariage et de leur lune de miel, mais pas un instant de plus. Et la première chose à faire, c'était de lui parler dès son arrivée pour mettre sans tarder les choses au clair au sujet de ce qu'il tolérerait ou ne tolérerait pas de la part de sa fille. Il avait déjà pensé à une liste de règles :

Défense de courir dans les couloirs.

Défense de crier.

Défense d'écouter la télévision trop fort, surtout le matin.

Défense de s'approcher de sa chambre à coucher.

Et défense absolue de toucher à ses œuvres d'art ou à ses affaires personnelles.

En résumé, l'idéal serait qu'il ne se rende pas compte de la présence de la petite ; mais était-ce possible avec un enfant de cinq ans ? Eh bien, il faudrait que cela le soit ! Mme Smith n'était pas son invitée mais son employée, et il attendait d'elle et de sa fille qu'elles se comportent en conséquence.

Soudain, une voix enfantine interrompit ses réflexions :

— Oh, regarde, maman ! Tu as déjà vu une télévision aussi grande ?

Il se retourna, surpris de n'avoir pas entendu arriver son ascenseur privé. Soudain, une tornade rousse déboula devant lui et se précipita dans la direction du home cinéma…

Horrifiée, Sam suivit la course folle de sa fille le long du couloir. Lorsqu'elle la vit heurter au passage un Xander Sterne ébahi, elle ferma les yeux, s'attendant au pire. Elle ne les rouvrit que pour voir ce dernier perdre l'équilibre et chanceler sur son pied valide, prêt à tomber.

Une vraie catastrophe !

Aussitôt, elle jeta son sac par terre et courut vers lui pour lui éviter la chute.

Malheureusement, Xander était au moins deux fois plus lourd qu'elle. Au lieu de le retenir, ce fut lui qui l'entraîna et ils se retrouvèrent tous les deux au sol l'un sur l'autre, les jambes entremêlées.

Par chance, l'épaisse moquette du couloir avait amorti le choc. Xander, qui était tombé sur le dos, poussa un grondement exaspéré.

Plus qu'une catastrophe, c'était un désastre !

Morte de honte, coincée contre le torse tout en muscles de son employeur — pour combien de temps encore ? Seigneur... — Sam n'osait pas faire le moindre mouvement.

— Eh bien, pour ce qui est de la règle numéro un, elle est déjà nulle et non avenue, l'entendit-elle marmonner entre ses dents.

— Pardon ? demanda-t-elle en levant la tête pour le regarder.

— Qu'est-ce que tu fais par terre avec M. Sterne, maman ? demanda alors Daisy d'un ton déconcerté.

Elle les considérait avec étonnement.

— Vous voulez lui répondre ou bien c'est moi qui m'en charge ? demanda Xander.

De toute évidence, il était furieux. Ses yeux bruns, si proches des siens que cela la mit mal à l'aise, lançaient des éclairs ; la colère déformait ses traits virils. A moins que ce ne soit la douleur...

C'était bien sa veine ! On l'employait pour s'occuper d'un homme immobilisé à cause d'une jambe cassée et sa fille ne trouvait rien de mieux à faire que de le bousculer et de le faire tomber le jour même de leur arrivée !

— Je suis vraiment désolée, murmura-t-elle.

Elle entreprit de se relever avec d'infinies précautions pour ne pas ajouter à la douleur de Xander. Elle

20

se demandait si elle devait d'abord répondre à Daisy, toujours interdite devant eux, ou aider Xander Sterne, soudain devenu pâle, à se mettre debout.

En tout cas, elle devait faire quelque chose.

— Nous sommes tombés, chérie, déclara-t-elle tout en s'agenouillant près de Xander.

Ce dernier entreprit de rouler sur le côté droit — celui de sa jambe valide — dans le but de se relever.

— Il vaudrait peut-être mieux que j'appelle le docteur, vous ne croyez pas ? demanda Sam, inquiète.

Xander lui lança un regard glacial. Quelle humiliation de se retrouver dans cette situation ! Boitiller depuis quatre semaines avec des béquilles avait suffisamment mis à mal son ego, il n'avait pas besoin, en plus, de se faire renverser par une gamine !

Mais à quelque chose malheur était bon. Grâce à cette chute, il avait pu vérifier que, malgré six semaines d'abstinence, la flamme du désir s'était rallumée au contact d'un corps doux et parfumé comme celui de Samantha Smith.

Cette dernière avait beau être trop petite et trop menue à son goût, elle n'en était pas moins d'une féminité qui ne l'avait pas laissé insensible lorsqu'elle s'était retrouvée sur lui.

— Je n'ai pas besoin d'un docteur pour savoir que seule ma dignité en a pris un coup, répliqua-t-il durement tout en attrapant ses béquilles.

Il était furieux contre elle. Et pour couronner le tout, il n'avait même pas eu l'occasion d'aborder le règlement qu'il comptait imposer à sa fille.

A ce moment-là, les portes de l'ascenseur s'ouvrirent une seconde fois et Paul sortit avec les bagages des nouvelles arrivantes. Son chauffeur ne pouvait pas mieux tomber !

— Paul va m'aider à me relever. Veuillez vous rendre dans la cuisine avec votre fille et préparer du thé, s'il vous plaît.

Pas besoin de sortir d'une grande école pour comprendre qu'il s'agissait d'un ordre plus que d'une demande, et que c'était un moyen pour Xander Sterne de se débarrasser d'elle et de Daisy. Et qui pourrait l'en blâmer ? Après la honte de s'être retrouvé les quatre fers en l'air, il n'avait certainement pas envie qu'on le voie contraint d'avoir besoin d'aide pour se mettre debout.

De toute évidence, Xander Sterne était du genre à ne jamais montrer ses faiblesses. Ce qui n'augurait rien de bon pour les deux semaines à venir. S'occuper d'un homme qui n'acceptait pas sa perte d'autonomie, même provisoire, n'allait pas être une partie de plaisir.

Sam adressa un sourire reconnaissant au chauffeur et se mit en quête de la cuisine, qu'elle trouva au bout du couloir.

Et quelle cuisine ! Immense, avec des éléments laqués noir et rouge et de nombreux appareils électroménagers haut de gamme tout en chrome étincelant. Le genre de cuisine qu'elle aurait adoré utiliser. Sauf qu'il y avait de fortes chances qu'elle n'en voie que la couleur… Après cet incident, autant imaginer le pire : Daisy et elle risquaient de ne pas faire de vieux os dans cet appartement…

Mais dans l'immédiat elle était chargée de préparer le thé.

Sans rien laisser paraître de son inquiétude, elle hissa sa fillette sur un des tabourets de bar, prit une brique de jus d'orange dans l'énorme réfrigérateur américain et lui en servit un verre avant de la gronder.

— Il me semble, lui fit-elle remarquer, que je t'avais dit de ne pas courir dans la maison.

Tout en parlant, elle avait mis de l'eau à bouillir et inspectait les placards à la recherche du thé. Dans le couloir, les voix des deux hommes se rapprochaient.

— Désolée, maman, fit Daisy avec une mine contrite. Quand j'ai vu cette énorme télévision, je n'ai pas pu m'empêcher de… Je suis désolée.

Sam afficha aussitôt une expression moins sévère.

— A mon avis, tu devrais présenter tes excuses à M. Sterne, tu ne penses pas ?

— Oui. Tu crois qu'il va nous laisser rester ? ajouta Daisy d'un ton anxieux.

Difficile de répondre quand c'était justement la question qu'elle-même se posait.

— Tu veux rester ?

— Oh, oui ! s'écria Daisy avec fougue.

Un enthousiasme à mettre sans aucun doute sur le compte de la présence de l'énorme téléviseur. Il y avait peu de chances en effet, vu l'amabilité avec laquelle Xander Sterne les avait reçues, que Daisy se soit prise pour lui d'une affection instantanée…

Xander s'apprêtait à entrer dans la cuisine pour dire à Samantha Smith ses quatre vérités, puis à la congédier, lorsqu'il surprit la conversation entre la mère et la fille.

Etait-ce bien la petite diablesse de tout à l'heure qu'il entendait répondre d'un ton aussi pondéré ? A son grand étonnement, il ressentit comme un coup au cœur.

Bon Dieu, comment avait-il pu avoir une réaction aussi déplacée ? Cette gamine n'avait que cinq ans ! Et surtout, elle n'avait pas fait exprès de le faire tomber. Il ne manquerait plus qu'il devienne comme son père : un type colérique et mal embouché.

Hors de question !

Revenu à de meilleurs sentiments, il dut bien admettre que, même s'il voyait toujours d'un mauvais œil la présence de Samantha Smith chez lui, il ne pouvait prendre comme prétexte l'incident de tout à l'heure pour la renvoyer.

De toute façon, il avait besoin d'une aide à domicile, et il perturberait l'organisation du voyage de noces de Darius et Miranda s'il ne la gardait pas. De plus, la jeune femme devait certainement compter sur l'argent qu'elle gagnerait en travaillant chez lui pendant ces deux semaines.

En dépit de toutes ses réticences, il n'avait pas envie qu'elle se retrouve dans la gêne à cause de son égoïsme.

3.

Lorsque Xander entra dans la cuisine, Sam était de dos. Il ne put s'empêcher d'admirer la cascade de ses boucles flamboyantes qui dégringolaient le long de son dos étroit, de même que ses fesses rebondies parfaitement moulées dans son jean serré.

Cette femme était diablement féminine, un détail qu'il n'avait pas prévu. Contrarié, il détourna vivement le regard pour le porter sur la petite fille, qui l'observait par-dessus son jus d'orange avec d'immenses yeux améthyste remplis d'inquiétude.

Le genre d'inquiétude qu'il ressentait, enfant, en présence de son père.

Et voilà que la petite descendait tant bien que mal du tabouret sur lequel elle était perchée pour se planter devant lui.

— Je suis vraiment désolée de vous avoir fait tomber, M. Sterne, dit-elle en zézayant, tout en levant vers lui ses paupières frangées de longs cils noirs.

Xander ne connaissait pas grand-chose aux enfants, mais il ne fallait pas être un expert pour s'apercevoir que celle-ci était une beauté, avec son visage angélique, sa masse de frisettes rousses et ses pommettes constellées de taches de rousseur. En fait, elle était le portrait craché de sa mère avec des traits plus pleins.

— Je ne l'ai pas fait exprès, continua-t-elle avec ce petit zézaiement absolument craquant, dû de toute évidence à la perte d'une de ses incisives. C'est juste que c'était la première fois que je voyais une télévision aussi immense. Maman m'avait dit et redit…

Elle s'interrompit, au bord des larmes.

— … de ne pas courir dans la maison, parvint-elle à terminer en reniflant.

— C'est ce que j'appelle son « air de chien battu », murmura Sam d'une voix douce tout en ébouriffant affectueusement les cheveux de sa fille.

— Pardon ? s'exclama Xander en détournant les yeux de la petite fille pour les porter sur sa mère.

— Les yeux larmoyants, la lèvre inférieure qui tremble, c'est l'expression contrite que ma fille, comme pratiquement tous les enfants en fait, maîtrise à la perfection depuis l'âge de trois ans.

Elle posa une tasse de thé fumant et le sucrier sur le comptoir du bar face à lui.

Eh bien, il s'était fait avoir comme un bleu, et par une gamine de cinq ans, en plus ! Sam avait dû remarquer son désarroi car elle ajouta avec un sourire embarrassé :

— Vous savez, elle est vraiment désolée, et vous n'avez pas à vous en vouloir de vous être laissé attendrir par sa mine déconfite. Même sur moi, la plupart du temps, ça marche.

Xander eut la ferme impression que les événements prenaient une tournure imprévue. Il était plus que temps qu'il reprenne le contrôle de la situation, si tant est qu'il l'avait jamais eue en main.

— Paul a laissé vos bagages dans le vestibule, dit-il froidement. Vos chambres sont à droite au bout du couloir. Ma suite se trouve à gauche et ni vous ni votre fille n'êtes autorisées à y pénétrer sans ma permission. En aucun cas.

Son changement de ton avait visiblement surpris la jeune femme, qui resta interdite un court instant avant de redresser ses frêles épaules — ce qui fit ressortir sa poitrine au galbe parfait. Difficile d'en détourner le regard…

— C'est entendu, monsieur Sterne, fit-elle d'une voix douce après s'être ressaisie. Viens, Daisy, M. Sterne veut qu'on le laisse seul maintenant, ajouta-t-elle en prenant sa petite fille par la main.

Cette dernière lui adressa un dernier sourire timide et il se sentit aussitôt pris de remords. Quel abruti fini ! Comment avait-il pu leur parler aussi durement ? Bah, il n'avait aucune raison de culpabiliser, après tout : si Daisy Smith savait si bien s'y prendre pour attendrir les gens, c'était qu'elle tenait cela de sa mère.

Sam avait mis à profit les deux heures qu'elle avait devant elle avant de préparer le dîner pour défaire les valises et ranger ses affaires et celles de sa fille. Puis elle était allée mettre dans le réfrigérateur et dans les placards de la cuisine les provisions qu'elle avait emportées pour les repas du week-end, consciente qu'avec le mariage d'Andy et Darius elle n'aurait pas le temps de faire les courses.

Pour le dîner de Xander, elle avait prévu quelque chose de simple : asperges, steak, pommes de terre farcies et carottes braisées, avec comme dessert une tarte Tatin à l'ananas, délicieuse et facile à faire. Elle avait toujours aimé cuisiner, et officier dans une cuisine comme celle-ci était tout simplement un rêve.

Lorsqu'elle était mariée, Malcolm lui avait refusé ce plaisir, arguant que s'il payait un chef ce n'était pas pour que sa femme se mette aux fourneaux. Elle avait juste obtenu de pouvoir superviser les menus de la semaine. Depuis son divorce, son maigre budget ne lui permettait hélas pas de laisser libre cours à sa créativité culinaire. Restait à espérer que Xander apprécie ses talents de cuisinière…

Lorsqu'il passa à table, ce ne fut pas sans une légère appréhension qu'elle servit le premier plat.

Les cheveux attachés avec soin, elle portait pour la circonstance la chemise blanche et le pantalon noir qu'elle avait mis pour son entretien avec les frères Sterne. C'était ce qu'elle avait trouvé de mieux comme « uniforme » pour le soir.

Xander, quant à lui, s'était contenté de troquer son T-shirt noir contre un T-shirt blanc qui moulait à la perfection ses épaules et son torse athlétiques, faisait ressortir ses bras bronzés et musclés. Difficile de rester insensible face à cette virilité flagrante. A son grand dam, Sam sentit son cœur s'emballer, ses mains devenir moites et une douce chaleur se répandre dans tout son corps. Heureusement, son mariage avec un homme que la fortune et la puissance avaient rendu arrogant et égoïste l'avait vaccinée contre ce genre de types qui traitaient les autres comme des moins-que-rien.

— Désirez-vous autre chose, monsieur Sterne ? demanda-t-elle d'un air impassible.

Il s'adossa à sa chaise pour la toiser de ses insondables yeux sombres.

— Qu'avez-vous en tête ?

Sam s'empourpra. Cependant, s'il pensait la mettre au défi, il en serait pour ses frais !

— Vous avez fait une remarque tout à l'heure, dit-elle froidement en ignorant délibérément son sous-entendu. A propos de la règle numéro un, qui serait nulle et non avenue.

— En effet.

— Qu'entendiez-vous par là ?

— Où est Daisy ? interrogea-t-il au lieu de répondre à sa question. L'appartement est terriblement calme ce soir.

Allons bon, voilà qu'il allait encore être question de Daisy ! Cet homme-là pouvait penser ce qu'il voulait, il n'avait pas intérêt à prétendre que sa fille était bruyante ou turbulente ! C'était même le contraire. Daisy était plutôt renfermée, un trait de caractère qu'elle devait à coup sûr à l'indifférence que son père lui avait manifestée depuis sa naissance.

Si seulement elle avait compris plus tôt que la fibre paternelle de Malcolm ne se réveillerait jamais, qu'elle n'avait rien à attendre de lui, qu'escompter le retour des jours heureux était une illusion et que jamais il n'aimerait sa jolie petite fille, Sam n'aurait pas perdu trois ans à espérer. Et à infliger à Daisy une situation aussi douloureuse.

Jamais elle ne se le pardonnerait…

Comment ne s'était-elle pas rendu compte dès le début que l'homme qu'elle avait épousé n'était qu'un infâme égoïste, pour qui elle ne représentait qu'un bien qu'on exhibe ou qu'on met dans son lit ? Un homme trop centré sur lui-même pour aimer la merveilleuse enfant qu'ils avaient conçue tous les deux.

Xander Sterne était plus riche et plus puissant que Malcolm ne le serait jamais, et elle n'avait pas envie de reconnaître qu'il était nettement plus attirant. Mais après s'être conformée trop longtemps aux exigences d'un homme, pas sûr qu'elle soit disposée à se laisser imposer un règlement pour le temps où Daisy et elle auraient à vivre dans cet appartement.

— Samantha ?

La voix de Xander la ramena dans le monde réel. Elle battit des paupières avant de fixer son regard sur l'homme qui l'observait de ses yeux perçants.

— Sam, corrigea-t-elle automatiquement.

— Je préfère Samantha, rétorqua-t-il d'un ton qui n'admettait pas de réplique.

Après tout, quelle importance qu'il l'appelle Sam ou Samantha dans la mesure où d'ici deux semaines ils ne se verraient plus ?

— C'est comme vous voulez, concéda-t-elle. Et

pour répondre à votre question de tout à l'heure, sachez que Daisy a dîné, pris sa douche et dort maintenant à poings fermés.

— Il n'est que 8 heures du soir.

— Daisy se couche toujours à 7 heures quand elle va à l'école le lendemain.

— Parfait. Alors on pourra peut-être parler de mes règles après le dîner ?

Samantha se raidit.

— Bien sûr, monsieur Sterne.

— Xander.

— J'aimerais autant qu'il n'y ait pas de familiarité entre nous.

— Dois-je en déduire que vous préféreriez que je vous appelle Mme Smith ?

— Non, car je ne suis pas Mme Smith, répliqua-t-elle avec un sourire crispé.

Xander l'observa, les yeux plissés.

— Je crois me souvenir que mon frère m'a dit que vous étiez divorcée ?

— En effet, acquiesça-t-elle en hochant la tête laconiquement. J'ai repris mon nom de jeune fille après le divorce.

Il fronça les sourcils.

— Est-ce que le nom de Daisy est également Smith ?

Sam tiqua. Xander Sterne commençait à se faire un peu trop curieux à son goût.

— Oui, répondit-elle du bout des lèvres.

— Je ne comprends pas.

Qui comprendrait qu'un père insiste pour que son enfant prenne le nom de sa mère après le divorce ? Aussi incroyable que cela pouvait paraître, Malcolm avait refusé que Daisy porte son nom. Mais cela ne regardait aucunement son employeur.

— Votre plat est en train de refroidir, monsieur Sterne, fit-elle pour couper court à l'interrogatoire.

Et j'ai du travail à la cuisine. Je me ferai un plaisir de bavarder avec vous lorsque je vous aurai servi le café.

Xander se mit à manger ses asperges distraitement tandis que Samantha quittait la salle à manger, droite et raide comme la justice. Pas besoin d'être grand clerc pour se rendre compte qu'elle était sur la défensive. Il avait visiblement dit quelque chose qui l'avait contrariée.

Mais aussi, quelle idée de changer le nom d'un enfant après un divorce !

Il ne s'était jamais penché sur les questions que pouvait soulever un divorce. Ses propres parents n'avaient jamais été heureux en ménage et auraient dû sans doute se séparer, mais cela n'advint jamais. A la mort de Lomax Sterne, Catherine et ses deux fils avaient conservé son nom. Leur mère avait seulement changé de nom lorsqu'elle s'était unie à Charles Latimer. Pour sa part, divorce ou pas, jamais il n'accepterait que son enfant ne porte pas son nom *à lui*.

Il secoua la tête, agacé. Décidément, il manifestait un trop grand intérêt pour la vie de son employée temporaire...

— Le dîner était excellent, merci.

Sam accepta le compliment d'un signe de tête, puis posa sur la table le plateau avec la tasse de café et le sucrier.

— Asseyez-vous, la convia-t-il sèchement alors qu'elle commençait à débarrasser.

Voilà de nouveau qui ressemblait plus à un ordre qu'à une invitation. Cet homme était d'une impolitesse stupéfiante.

— J'aime autant rester debout, si cela ne vous dérange pas, répliqua-t-elle sans rien laisser paraître de son indignation.

Il cessa de remuer son café et lui lança un regard glacial.

— Cela me dérange.

S'il cherchait à la mettre mal à l'aise, il avait réussi, songea Sam. Toutefois, même s'il était son employeur, il n'avait pas à lui dicter *complètement* sa loi.

— Je ne pense vraiment pas que, dans le cadre d'une relation employeur-employé, la bienséance m'autorise à m'asseoir à votre table.

— Et moi je pense que, dès l'instant où vous devrez m'aider à me préparer pour aller au lit, la bienséance ne sera plus de mise.

Sam rougit aussitôt. Décidément, cet homme avait l'art de la mettre dans l'embarras ! Même si elle avait accepté ce travail en toute connaissance de cause, à l'idée de l'assister dans ses préparatifs du soir — et, au besoin, de l'aider à prendre sa douche, une vague de chaleur la submergea. Pourtant, ce n'était pas comme si elle n'avait jamais vu un homme nu. Après tout, elle avait été mariée pendant trois ans.

Oui, mais pas à Xander Sterne. C'était toute la différence…

— Raison de plus pour maintenir des relations formelles, rétorqua-t-elle le plus calmement possible.

Malgré les efforts de Samantha pour dissimuler sa gêne, Xander n'était pas dupe. Son brusque rougissement et le tremblement de ses mains, qu'elle avait tenté de cacher derrière son dos, ne lui avaient pas échappé.

Certes, la situation était quelque peu embarrassante, et lui-même se serait bien passé de ce genre d'expérience ; mais de là à prendre un air aussi horrifié !

— Je suis en train d'attraper un torticolis à force de me tordre le cou pour vous regarder, lança-t-il, impatient.

— Je ne suis pas assez grande pour que vous attrapiez un torticolis, répliqua-t-elle du tac au tac.

Elle avait marqué un point : même assis, il avait les yeux presque au même niveau que ceux de Samantha.

— Ecoutez, Samantha, ne m'obligez pas à vous ordonner de vous asseoir, dit-il avec humeur.

— Pourquoi ?

— Parce que je ne voudrais pas vous offusquer comme tout à l'heure, répondit-il d'un ton irrité.

De nouveau, Xander put observer sur le visage fin et délicat de Samantha les émotions furtives qui s'y peignaient. Son injonction n'était visiblement pas pour lui plaire ; au bout de quelques secondes cependant, elle sembla en prendre son parti, tira une chaise et s'assit inconfortablement sur le bord face à lui.

— Je suppose que vous voulez m'exposer les règles que nous aurons à suivre, Daisy et moi, durant notre séjour chez vous ? commença-t-elle en levant le menton.

C'était son intention initiale, en effet, mais à présent l'idée d'aborder ce sujet lui parut totalement déplacée. La chute ne l'avait pas mis dans les meilleures dispositions, mais il devait reconnaître que Daisy s'était excusée et qu'ensuite il ne l'avait plus entendue. En fait, tout était si calme qu'on n'aurait vraiment pas pu deviner qu'un enfant se trouvait dans l'appartement. Alors, quel besoin avait-il de soulever cette question des règles de vie commune qui, pour une raison qui lui échappait, semblait particulièrement affecter Samantha ?

Mais, maintenant, impossible de faire marche arrière.

— Vous conviendrez, j'en suis sûr, que des règles sont nécessaires pour une cohabitation satisfaisante.

— C'est un point que nous aurions peut-être dû évoquer avant que je n'accepte le travail, objecta-t-elle avec une grimace.

— Sans doute.

— Et je suppose que la première de ces règles est de ne pas courir dans les couloirs ?

Etait-ce du sarcasme ? De l'humour ? Xander scruta le pâle visage de la jeune femme sans y déceler la moindre émotion. Comme si cette situation n'était pas nouvelle pour elle.

— Ce que je demande n'a rien d'extraordinaire, assura-t-il d'un ton sec où perçait une pointe d'agacement. C'est autant dans votre intérêt à toutes les deux que dans le mien.

— Ah bon ? dit Samantha d'un air dubitatif.

— Parfaitement. Je… Ecoutez, je n'ai pas l'habitude d'avoir des enfants autour de moi, d'accord ? exposa-t-il, nerveux, en se passant une main dans les cheveux. Je ne voudrais pas que… Je ne voudrais pas…

Il s'interrompit avant de se ridiculiser à force de bafouiller. Il ne voudrait pas quoi ? S'emporter violemment contre cette timide petite fille ? Le monstre qu'il avait découvert en lui serait-il capable de faire une chose aussi horrible à une gamine de cinq ans ?

Le problème, c'était qu'il ne connaissait pas la réponse ! Alors autant se prémunir contre les situations critiques.

— Bref, reprit-il, défense de courir dans les couloirs, défense de crier ou de hurler, défense d'écouter la télévision trop fort, surtout le matin. Et, comme je l'ai déjà dit, défense d'entrer dans ma suite et défense absolue de toucher aux œuvres d'art.

Aucune de ces règles ne lui était destinée, constata Samantha. Elle n'était certainement pas susceptible de crier ou de hurler, ou de regarder la télévision à n'importe quelle heure du jour et de la nuit avec le son au maximum. Pas plus qu'elle n'avait l'intention de pénétrer dans la suite de Xander en dehors des moments où elle devrait l'aider pour la douche et pour s'habiller. Ou de toucher l'une ou l'autre de ses œuvres d'art certainement hors de prix — elle n'avait aucune raison de le faire, vu qu'une femme de ménage venait deux fois par semaine pour l'entretien de son appartement.

Toutes ces règles visaient sa fille et elle seule.

Des règles qui ressemblaient étrangement à celles que Malcolm avait imposées à Daisy, sauf que lui était allé encore plus loin. Dès que la petite avait commencé à marcher et à parler, il avait déclaré qu'il ne voulait ni la voir ni l'entendre.

— Très bien, c'est enregistré, assura-t-elle en se levant avant de se diriger vers la cuisine.

— Samantha !

Elle s'arrêta net mais ne se retourna pas. Pas question qu'il remarque l'émotion qui lui nouait la gorge et les larmes qu'elle tentait de ravaler. Pauvre petite Daisy, qui allait de nouveau se sentir rejetée. Si elle avait su… Mais comment aurait-elle pu imaginer que Xander Sterne serait aussi implacable ?

Bien sûr, elle savait par la presse que c'était un play-boy arrogant, qui aimait autant le jeu que le travail. Elle s'était aussi rendu compte, lors de son entretien deux jours auparavant, que c'était à contrecœur qu'il avait dû tolérer une aide à domicile en l'absence de son frère Darius, et elle s'était préparée à accepter cet état de fait. En revanche, elle n'était pas sûre de pouvoir accepter de tempérer la joie de vivre de sa fille juste pour satisfaire ce monstre d'égoïsme.

Daisy passait avant tout le monde, et c'était essentiellement pour cette raison que Sam n'était sortie avec personne depuis son divorce. Elle s'était juré que jamais elle ne mettrait sa fille dans la situation dont elle avait déjà souffert avec Malcolm les deux premières années de sa vie.

Dans sa situation économique, elle ne pouvait certes pas faire la fine bouche, elle ne l'oubliait pas. Néanmoins, même si elle avait besoin de ce travail, il y avait des limites à ce qu'elle pouvait supporter : elle n'était pas disposée à accepter qu'un homme du même acabit que son ex-mari lui impose sa loi.

Déterminée, elle pivota sur ses talons et répondit à Xander Sterne sans masquer sa colère :

— J'ai entendu ce que vous avez dit, monsieur Sterne, et je veillerai à ce que vous ne soyez pas incommodé par la présence de Daisy. Mais je n'irai pas plus loin. Si cela ne vous convient pas, autant le dire tout de suite et prendre de nouvelles dispositions pour que Daisy et moi puissions partir dès demain.

Xander se retint de dire tout de go à Samantha qu'elle était magnifique lorsqu'elle était en colère. Ses cheveux roux, bien que retenus par un bandeau, semblaient électrisés, ses yeux lançaient des éclairs dorés et ses joues étaient écarlates.

— Les dispositions actuelles me conviennent parfaitement, dit-il d'un ton pourtant dédaigneux.

Il était de toute façon conscient que son affection pour Darius et Andy ne lui laissait pas trop le choix.

— Ah bon ? fit Samantha d'un air dubitatif.

— Dites-moi, trouvez-vous mes *desiderata* déraisonnables ? Parce que ce sont des *desiderata*, Samantha, pas des règles. Si cela pose un problème, dites-le-moi maintenant, que nous puissions en discuter.

— Je… A vrai dire…

Elle bredouillait et paraissait déconcertée.

— Vous savez, reprit-elle, Daisy est une enfant et…

— Tout ira bien, coupa Xander en se levant. Vous êtes divorcée depuis longtemps ?

Son brusque changement de sujet prit Samantha de court, constata-t-il en la voyant écarquiller les yeux.

— Trois ans, répondit-elle avec raideur en évitant son regard.

— Un mauvais divorce ?

— Parce qu'il y a de bons divorces ?

— Probablement pas.

Une fois de plus, Samantha avait éludé sa question. Elle n'était visiblement guère disposée à parler de son mariage ou de son divorce, ce qui ne faisait qu'exacerber sa curiosité. Qu'avait-elle à cacher ?

Xander décida d'essayer une approche différente pour arriver à ses fins.

— Est-ce que vous vous connaissez depuis longtemps, Miranda et vous ?

Samantha fronça les sourcils avant de lui répondre prudemment.

— Andy et moi nous sommes rencontrées il y a six mois, quand Daisy a commencé à prendre des cours de danse.

Il hocha la tête.

— Quand j'ai discuté avec elle au début de la semaine, elle m'a dit beaucoup de bien de vous.

Il se garda de révéler à quel point sa future belle-sœur s'était montrée protectrice les concernant, sa fille et elle, allant jusqu'à l'avertir qu'il avait intérêt à bien se tenir avec son amie ! Sur le moment, il avait trouvé la mise en garde plutôt amusante : dans la mesure où il ne pouvait même pas se tenir debout sans l'aide de ses béquilles, il voyait mal ce qu'il aurait pu tenter avec la jeune femme.

Pourtant, après seulement quelques heures passées en compagnie de Samantha, il se rendait compte qu'il déplorait son manque de mobilité…

— C'est très aimable à elle, dit la jeune femme avec un sourire. Andy est très facile à vivre.

Xander acquiesça d'un signe de tête.

— Je parie que Daisy se débrouille bien en danse ?

Le visage de Samantha s'illumina.

— Elle adore ça !

— Est-ce qu'elle passe beaucoup de temps avec son père ?

Sam resta interdite. Ainsi, toutes les paroles lénifiantes de son employeur n'avaient été qu'une tactique pour endormir sa méfiance… Pas étonnant que son frère et lui réussissent en affaires ! Mais elle n'allait pas se laisser piéger aussi facilement.

— Daisy passera tout son temps ici avec moi lorsqu'elle ne sera pas à l'école.

— Ce qui ne répond pas tout à fait à ma question.

— Il me semble que si, affirma Sam en le regardant droit dans les yeux.

— Votre mari est à l'étranger ?

— *Ex*-mari, corrigea-t-elle. Et je ne sais absolument pas où il est. Maintenant, si vous voulez bien m'excuser, j'ai à faire dans la cuisine.

— Cela peut attendre.

— Je suis fatiguée, monsieur Sterne, et j'aimerais me relaxer un moment avant l'heure du coucher, déclarat-elle d'un ton ferme.

Xander se renfrogna. Eh bien, il n'était guère plus avancé ! C'était vraiment curieux cette façon que Samantha avait de devenir muette comme une carpe dès qu'il mentionnait son ex. Et ne pas savoir s'il était ou non dans le pays, ni même quand il reverrait sa fille, lui paraissait très étrange.

Quand diable cet homme voyait-il sa fille ? Et surtout, qu'avait-il fait à Samantha pour que ses yeux s'assombrissent dès qu'il était question de lui ?

4.

Le moment tant redouté du coucher était arrivé. Sam ne parvenait pas à se décider à entrer dans la chambre où l'attendait Xander.

Et pour cause…

Assis sur son imposant lit à baldaquin, il était presque nu. Seule une serviette enroulée autour de sa taille couvrait ses parties intimes. Dans une telle situation, quelle femme n'aurait pas perdu tous ses moyens ? Elle était littéralement paralysée.

Xander s'impatienta :

— Allez-vous rester toute la nuit devant la porte ou allez-vous enfin venir m'aider ? s'écria-t-il d'un ton irrité.

— Désolée, fit-elle en se hâtant de pénétrer dans la pièce.

Xander se leva alors et elle fut frappée par la perfection de son corps d'athlète.

Dieu qu'il était beau ! Un véritable apollon.

A la vue de son torse nu et bronzé, couvert d'un fin duvet doré, de ses tablettes de chocolat et de ses larges épaules, son pouls s'accéléra.

Puis son regard descendit le long de ses jambes longues et musclées. En vue de prendre sa douche, il avait enlevé l'attelle qu'il portait en journée, et les cicatrices rosées laissées par l'opération se détachaient sur sa peau brune.

Même ses pieds étaient beaux — des pieds longs et

élégants, et Sam se souvint avoir lu quelque part que la longueur du pied d'un homme était proportionnelle à celle de son…

— Samantha !

La voix agacée de Xander la fit brusquement redescendre sur terre. Elle sursauta comme si elle avait été prise en faute et détourna à regret le regard du corps de Xander pour le reporter sur son beau visage.

— Désolée, s'excusa-t-elle.

Elle se hâta de s'approcher du lit, les joues rouges de honte à l'idée qu'elle s'était mise à fantasmer sur lui comme une adolescente sur son idole. Fallait-il qu'elle ait perdu la tête ! Toutefois, elle le verrait bien dans un film d'action ; avec sa silhouette parfaite, il crèverait l'écran à coup sûr.

— Samantha ! reprit Xander sans cacher son exaspération. Je ne peux pas rester longtemps debout. Quand allez-vous *enfin* vous décider à m'aider ?

— Je vais faire couler l'eau, dit-elle en se dirigeant vers la salle de bains.

Il fallait absolument qu'elle se ressaisisse et reprenne ses esprits !

Elle fit coulisser la porte de la douche en verre teinté et ouvrit les robinets pour régler la température, mais sa tête était ailleurs.

Comment se faisait-il que la nudité de son patron la trouble à ce point, elle qui n'avait pas même *regardé* un homme depuis qu'elle avait quitté Malcolm ?

Sous l'effet de l'excitation, ses seins avaient durci et ses mamelons pointaient sous son chemisier. A part Malcolm, jamais elle ne s'était retrouvée face à un homme nu. Et quel homme ! Un mâle dans toute sa splendeur, dont la virilité crevait les yeux. Jamais son ex-mari ne lui avait fait un pareil effet, même lorsqu'elle l'avait vu pour la première fois.

Nul doute que pour entretenir sa condition ces dernières

semaines, Xander avait utilisé la salle de gymnastique dont il disposait dans son appartement. Nul doute aussi qu'en temps normal sa forme physique lui permettait de faire la bringue toute la soirée et du sport en chambre toute la nuit. Evidemment, depuis son accident, ce genre d'activité ne devait pas être au programme. En tout cas, c'était ce que Sam supposait ; quoique, question sexe, avec un don Juan comme Xander, tout soit possible.

Cela lui fit penser qu'elle avait besoin de discuter avec lui de son comportement pendant que Daisy et elle seraient chez lui.

— Samantha ?

Elle sursauta. Elle était tellement perdue dans ses pensées qu'elle n'avait pas remarqué que Xander était entré dans la salle de bains derrière elle. Elle fit brusquement volte-face mais elle ne s'était pas rendu compte qu'il se trouvait tout près d'elle. Du coup, elle heurta son coude.

— Oh, non ! lâcha Xander, incrédule, en perdant l'équilibre.

Il ne lui manquait qu'une nouvelle fracture pour finir en beauté cette journée désastreuse…

Fort heureusement, Samantha eut la présence d'esprit de placer l'épaule sous son aisselle. Elle réussit à freiner sa chute mais, comme il était trop lourd pour elle, il la fit trébucher et tous deux chancelèrent avant de tomber lentement sur le rebord de marbre qui courait tout le long du mur opposé à la douche.

— Vous savez, dit Xander d'un ton brusque en se redressant, je me demande si Daisy et vous n'avez pas décidé de casser mon autre jambe !

Il fallait reconnaître en effet que les faits ne plaidaient pas en leur faveur. Elle était là pour s'occuper de Xander et le résultat, c'était qu'à cause d'elle et de sa fille il avait par deux fois frôlé la catastrophe. Dieu sait ce qui serait arrivé si sa tête avait heurté le marbre de la salle de bains ! Heureusement, elle l'avait rattrapé à temps…

A présent, elle se retrouvait blottie sous le bras de Xander, une main sur son ventre musclé et la joue contre son torse nu. Sa peau douce et chaude sentait l'eau de toilette dont il avait dû se parfumer le matin, et il émanait de tout son être une virilité primaire qui mettait les sens de Sam en émoi.

Elle tâcha de se reprendre. Elle devait impérativement garder la tête froide. Xander était le genre d'homme à fuir comme la peste. De ceux qui croient que leur fortune et leur puissance les autorisent à considérer les autres comme des moins-que-rien.

Pour l'heure, l'urgence était de mettre fin à cette position embarrassante. Après moult contorsions, elle réussit à s'asseoir, puis à se lever avant de s'éloigner précipitamment.

— Vous m'avez fait peur, en venant derrière moi sans faire de bruit ! lui reprocha-t-elle.

Il lui jeta un regard exaspéré.

— Parce que c'est ma faute, peut-être ? La prochaine fois, il faudra que je vous avertisse de ma présence, c'est ça ?

— Exactement, répliqua Sam d'un ton sec.

Elle le toisait d'un air de défi, mais c'était pour mieux cacher l'attirance qu'il exerçait sur elle. Avec ses cheveux blonds en bataille, ses cuisses fuselées et sa quasi-nudité — qui n'avait pas l'air de le gêner le moins du monde —, il était d'une virilité insolente et ressemblait à un dieu grec. Ou, plus exactement, à un dieu nordique.

Allons, voilà qu'elle s'égarait de nouveau ! Il était urgent qu'elle se ressaisisse. Hors de question qu'elle laisse libre cours à son attirance. Ce serait la pire des erreurs. Pour elle, et pour Daisy.

— Il serait temps d'entrer dans la douche, maintenant, dit-elle vivement tout en ouvrant la porte de verre. On se croirait dans un hammam, avec toute cette vapeur !

— Il me semble que c'est ce que j'essayais de faire avant que vous ne me fassiez réaliser des cascades, répliqua-t-il d'un ton mordant.

Il se dirigea vers la cabine de douche en boitillant. Sam se força à ne pas le regarder, surtout lorsqu'elle entendit, les joues en feu, le bruissement de la serviette qu'il retirait.

— Nom d'un chien ! s'écria Xander, irrité, en constatant que Samantha avait détourné les yeux. Allez m'attendre dans la chambre si me voir nu vous offense à ce point !

— Vous vous trompez, rétorqua-t-elle.

— Je n'en suis pas si sûr.

— Si je vous le dis !

— A en juger par la couleur de vos joues, on ne dirait pas, ironisa-t-il.

— C'est à cause de la chaleur, répliqua Samantha.

Elle attrapa la serviette avant de quitter la salle de bains précipitamment. Comme si tous les démons de l'enfer étaient à ses trousses, nota Xander. Celle-là, ce n'était pas ce soir qu'il la mettrait dans son lit. Ni les autres soirs, d'ailleurs. L'attitude de Samantha laissait clairement comprendre que, avec elle, il n'avait aucune chance…

Finalement, il aurait été nettement plus tranquille s'il avait eu pour l'aider un malabar couvert de tatouages. Il se demanda soudain, presque malgré lui, si Samantha en avait un. Si oui, que représenterait-il et où serait-il placé ? Une fleur ou un papillon, peut-être ? Sur l'épaule ?

La poitrine ? Ou alors au bas du dos, au-dessus de la courbe de ses adorables fesses rebondies ?

Bon, s'il arrêtait de fantasmer, ce ne serait pas plus mal. Encore fallait-il y arriver. Difficile de chasser les images qui lui traversaient l'esprit...

— J'ai fini de me doucher, j'arrive, annonça-t-il en entrant dans la chambre. Et vous pouvez regarder, je suis on ne peut plus décent !

Ils ne devaient pas avoir la même définition de la décence, se dit Sam en regardant Xander entrer dans la chambre en claudiquant, une serviette à peine plus grande que la précédente autour des reins. En dépit de sa résolution de ne pas se laisser affoler par sa nudité, impossible de rester insensible.

Il était la perfection incarnée.

Quant à la décence, elle était plutôt mise à mal. Avec son torse sur lequel perlaient quelques gouttes d'eau, ses cheveux mouillés et ses longues jambes encore humides, il ressemblait à un dieu païen sorti de la mer.

Ses mollets dégoulinaient et, lorsqu'il s'assit sur le lit, Sam s'agenouilla devant lui pour les lui sécher, en prenant soin de ne pas frotter les nombreuses cicatrices de sa jambe blessée.

— Je ne peux pas me baisser, c'est pour ça que je ne les ai pas essuyés, expliqua-t-il.

— Il fallait m'appeler, répliqua Sam avec brusquerie.

— Je ne voulais pas vous gêner une nouvelle fois.

— Je n'étais pas du tout...

— Inutile de nier.

— Je vous le répète, je ne suis pas gênée ! Et je ne vois pas pourquoi je le serais.

— A d'autres.

— Mais qu'est-ce que vous croyez ? Que vous êtes

irrésistible et que toutes les femmes rêvent d'atterrir dans votre lit ?

— Ma foi, en l'état actuel des choses, je ne vois pas ce que je ferais d'une femme dans mon lit.

— Justement. J'aurais dû aborder le sujet plus tôt, dit Sam en se concentrant sur le séchage des pieds de Xander. Je ne pense pas… Enfin, je préférerais que, tant que nous sommes sous votre toit, vous vous absteniez de… Je sais que ça ne me regarde pas mais Daisy n'a que cinq ans.

— Vous pensez sérieusement qu'une femme aurait envie de moi dans l'état où je suis actuellement ?

Ce que Sam pensait, c'était que même s'il était sur son lit de mort les femmes se précipiteraient pour coucher avec un homme aussi attirant et sensuel.

— Ou que je suis capable de faire l'amour à une femme en ce moment ? ajouta-t-il.

Sam haussa les sourcils.

— Je suis sûre que vous pourriez trouver une position confortable si…

Elle s'interrompit aussitôt, consciente de l'audace de ses paroles.

— Oubliez ce que je viens de dire, fit-elle en se levant vivement, les joues de nouveau en feu.

Elle se tança *in petto* : à quoi pensait-elle pour dire une chose pareille ? Mais avait-elle vraiment besoin de se poser la question ? La vérité, c'était que cet homme la faisait fantasmer au point de perdre la raison. Elle n'avait qu'un désir : se retrouver au lit avec lui !

Xander la regardait d'un air pensif.

— Je suis intrigué, Samantha, fit-il d'un ton moqueur. Quelle position aviez-vous en tête, exactement ?

— Je sais que votre vie ne me regarde pas, dit-elle en éludant la question, mais ce que j'essayais de vous dire tout à l'heure, c'est que je préférerais vraiment que vous vous absteniez d'amener une femme dans votre appartement pendant les deux semaines où Daisy et moi séjournerons chez vous.

Il haussa un sourcil hautain.

— Avez-vous l'intention de récompenser mes efforts ?

Sam battit des paupières.

— Pardon ?

Il s'allongea à demi sur le lit et la regarda avec un air de défi.

— Que m'offrez-vous si j'accepte de n'amener aucune femme ici tant que Daisy et vous y séjournez ?

Elle était médusée par tant de muflerie.

— Je n'offre rien en échange de ce que je considère comme une requête sensée et polie, répliqua-t-elle d'un ton qui n'invitait guère au badinage. Et maintenant, au risque de m'exposer à une autre de vos subtiles insinuations, j'aimerais savoir si vous avez encore besoin de moi ce soir.

Xander ne put s'empêcher de sourire. Quelle détermination et quelle hardiesse de la part de ce petit bout de femme ! En voilà une qui n'était pas du genre à s'en laisser conter. Elle commençait à lui plaire. Pas seulement physiquement parlant — ça, c'était un fait acquis —, mais il adorait sa conversation pleine d'esprit et son sens de l'humour. Ce à quoi les femmes qu'il fréquentait ne l'avaient guère habitué.

A vrai dire, il n'avait jamais pris la peine de chercher à connaître leurs personnalités. Ses conquêtes étaient des mannequins et des actrices, décoratives et désirables, auxquelles il ne demandait rien d'autre que d'être agréables à regarder et performantes au lit. Ce qui n'était pas aussi égoïste et à sens unique qu'il paraissait au premier abord car être vues et photographiées au bras du milliardaire Xander Sterne était tout ce qui comptait à leurs yeux. Il avait avec elles des relations creuses et futiles, mais il n'attendait rien d'autre, sachant que c'étaient sa fortune et son prestige qui les attiraient.

Samantha était complètement différente de toutes ces femmes qu'il avait connues. Et pas seulement parce qu'elle était divorcée avec une petite fille. Elle l'intéressait comme aucune autre femme auparavant. Il brûlait de tout savoir sur elle : son mariage, son mari, son divorce et surtout comment elle avait vécu depuis son divorce.

Et cela n'avait rien à voir avec le fait qu'il avait aussi envie de la mettre dans son lit. Enfin, peut-être un petit peu, quand même… De toute façon, vu l'air de dégoût avec lequel elle le regardait, il n'était pas question de bagatelle…

Pour l'heure, Samantha lui avait demandé s'il avait toujours besoin d'elle et il ne lui avait pas répondu.

— Non, merci, vous pouvez disposer, dit-il d'une voix traînante.

— Alors, à demain matin, monsieur Sterne.

Il la regarda traverser la pièce puis lui demanda à brûle-pourpoint :

— Excusez mon indiscrétion mais avez-vous des tatouages ?

Sam s'arrêta net, comme pétrifiée, puis se tourna lentement vers lui en le regardant avec des yeux écarquillés.

— Quoi ?

— Avez-vous des tatouages ? répéta-t-il comme s'il s'agissait d'une question banale.

— En quoi est-ce que cela vous regarde ?

— Ah ah ! Ça veut dire que oui, murmura-t-il avec satisfaction. Vous auriez dit non si ce n'était pas le cas.

Sam grimaça.

— C'est peut-être que votre question m'a prise de court.

— Peut-être, mais vous ne niez toujours pas, l'asticota-t-il, moqueur. Et je me demande bien où vous auriez choisi de vous faire tatouer.

Sam rougit jusqu'aux oreilles.

— Cette conversation est hors de propos, monsieur Sterne.

— Allez, Samantha ! Entre l'hôpital et mon appartement, voilà six semaines que je suis comme un lion en cage ; vous pouvez bien m'offrir un peu de distraction !

— Le regard de chien battu ne vous va pas tellement, affirma-t-elle d'un ton tranchant.

— Alors, répondez à ma question. Quel mal y a-t-il à me dire à quel endroit vous avez un tatouage ?

— Bonne nuit, monsieur Sterne, lança la jeune femme en se dirigeant vers la porte.

— Sur la poitrine ?

Sam se sentit vaciller mais fit comme si de rien n'était.

— Sur l'épaule ?

Pourquoi la porte semblait-elle soudain aussi loin ?

— Peut-être au bas de votre admirable chute de reins ?

Elle saisit la poignée de la porte d'une main tremblante.

— Ou alors en haut de votre cuisse, où seul un amant pourrait le voir ?

— Bonne nuit, monsieur Sterne, répéta-t-elle d'une voix assurée en refermant la porte derrière elle.

Une fois dans le couloir, elle s'appuya contre le mur pour se remettre de son trouble. Elle entendit Xander rire doucement. Décidément, cet homme était impossible. Pire qu'impossible !

Et elle eut l'impression que le petit tatouage sur son sein gauche la lançait autant que le jour où elle l'avait fait faire, cinq ans auparavant...

Incapable de cesser de penser à Samantha et à son hypothétique tatouage, Xander avait eu du mal à s'endormir.

Pourtant, il fut le premier levé. La cuisine était vide lorsqu'il y entra.

Quelques minutes plus tard, Daisy apparut timidement dans l'embrasure de la porte, encore en pyjama et les cheveux défaits. Elle avait dû entendre du bruit et penser que c'était sa mère.

Xander fut gagné par la panique. Devait-il aller chercher Samantha ou s'occuper d'elle ? Et si Daisy renversait du jus ou des céréales, et qu'il avait une réaction violente ? Jamais il ne se pardonnerait de s'en prendre à un enfant, que ce soit verbalement ou physiquement.

Après un moment d'hésitation, il décida de ne pas céder à l'affolement et de prendre son petit déjeuner avec la fillette. C'était un bon moyen de se tester et de voir de quoi il était capable avec un enfant…

Il l'installa à la table et, avec un sourire, lui servit un verre de jus d'orange. Puis il lui proposa de lui faire griller du pain.

D'habitude, il ne prenait pas de petit déjeuner, se contentant d'une tasse de café, mais il faisait une exception ce matin. Il n'était en effet pas certain de pouvoir manger avant le banquet de noce…

Le mariage de Darius et Miranda était prévu à 13 heures, mais le repas ne serait pas servi avant 16 heures à cause de la séance photo qui devait suivre la cérémonie religieuse, et pour permettre aux mariés d'accueillir ensuite leurs invités à l'Hôtel Midas. Et, en tant que témoin de Darius, il devait s'occuper de certains détails concernant l'organisation.

Samantha arriva en trombe, les cheveux aussi ébouriffés que ceux de sa fille, les jambes nues sous un peignoir resserré autour de sa taille fine.

— Oh non ! s'écria-t-elle. J'aurais dû être debout

depuis longtemps pour vous servir votre petit déjeuner. Je n'ai pas entendu le réveil.

— Du calme, Samantha, l'enjoignit Xander d'un ton brusque. Daisy et moi, on s'est bien débrouillés, non ?

Il plaça devant Daisy une assiette avec ses tartines grillées et beurrées, tout en se félicitant d'avoir su gérer la situation. Il n'était cependant pas mécontent que sa mère prenne le relais.

En se réveillant dans un lit étranger, quelques minutes plus tôt, Sam avait été désorientée, avant de se souvenir qu'elle se trouvait dans l'appartement de Xander Sterne. Un coup d'œil au réveil sur sa table de nuit lui avait appris qu'il était déjà 8 heures. Habituellement, à cette heure-là, Daisy était levée depuis longtemps.

Elle avait sauté du lit en enfilant prestement un peignoir par-dessus son pyjama et s'était précipitée dans la chambre de sa fille, pour s'apercevoir qu'elle était vide.

Elle avait alors foncé dans la cuisine. S'il y avait une chose à laquelle elle ne s'attendait vraiment pas, c'était d'y trouver Xander en train de servir son petit déjeuner à Daisy.

Et dire qu'il l'avait engagée pour qu'elle lui prépare son petit déjeuner à *lui* ! Elle était payée pour lui éviter le moindre effort. Or, à en juger par son visage pâle et sa claudication plus prononcée tandis qu'il clopinait dans la cuisine, il était clair qu'il était allé au-delà de ses limites. Par sa faute à elle. Elle était impardonnable.

Le comble, c'était qu'elle avait promis qu'il ne s'apercevrait même pas de la présence de Daisy ; et voilà qu'il était en train de s'occuper de son petit déjeuner le lendemain de leur arrivée.

— Je suis vraiment désolée, bredouilla-t-elle.

Xander lui tendit une tasse de café. Il portait un

T-shirt marron et un jean délavé. Il était pieds nus, parce qu'elle n'avait pas été là pour lui enfiler ses chaussettes et lui mettre ses chaussures quand il s'était levé. Elle était vraiment en dessous de tout ! Comment avait-elle pu se lever aussi tard dès le premier matin ?

Sans doute parce qu'elle avait passé une grande partie de la nuit à se tourner et se retourner dans son lit en pensant aux paroles de Xander. Et à l'imaginer nu dans son lit, à l'autre bout du couloir.

Elle savait qu'il dormait nu parce que, lorsqu'il était sous la douche, elle avait fouillé sa commode et son armoire à la recherche d'un pyjama. En vain.

Savoir Xander nu sous son drap n'avait pas contribué à l'aider à trouver le sommeil ! A l'aube, elle avait finalement réussi à s'endormir.

Quoi qu'il en soit, on ne l'avait pas engagée pour fantasmer sur Xander mais pour s'occuper de lui ; et le moins que l'on puisse dire c'était que pour l'instant elle était loin d'avoir rempli ses obligations.

Elle regarda sa fille, surprise de la trouver aussi détendue en compagnie de Xander, elle d'habitude si timide en présence des hommes. Une timidité qui, elle le savait, résultait de la totale indifférence que lui avait manifestée son père.

— Je dois être chez Darius vers 10 h 30 et j'aurais besoin que vous m'y conduisiez. Je me doucherai là-bas avant de m'habiller pour la noce.

— Bien sûr, répondit Sam.

Elle était soulagée de constater qu'il semblait s'être lassé — pour le moment — de la taquiner. Et puis elle était surtout soulagée d'échapper à la corvée de la douche.

— Dans mon état, je ne suis pas certain d'être un témoin à la hauteur, ajouta Xander amèrement.

— Vous serez d'un grand soutien moral pour votre frère. C'est un grand jour pour lui et il en aura besoin.

Sam trouvait Darius quelque peu intimidant, mais

Andy l'aimait énormément et sans doute que même un homme aussi sûr de lui devait se sentir un peu nerveux le jour de son mariage.

— Je rentrerai assez tard, poursuivit Xander, donc vous avez la journée libre.

— C'est-à-dire…, commença Sam en lui lançant un regard étonné.

— Du moment que vous êtes rentrée ce soir pour m'aider à me doucher…

— Monsieur Sterne, l'interrompit-elle.

— … je ne vois pas de problème à ce que vous…

— Xander !

— Quoi ? demanda-t-il en fronçant les sourcils d'un air irrité.

— Daisy et moi sommes invitées au mariage.

Il resta un instant les yeux ronds, éberlué. Bien sûr, comment n'y avait-il pas pensé ? Si Samantha était suffisamment liée à Miranda pour que cette dernière la recommande à son futur beau-frère, alors il était normal qu'elle soit invitée au mariage.

5.

Andy resplendissait dans sa robe de mariée, Darius s'était fait remarquer par son élégance et sa distinction. Quant à Xander, leur témoin, il avait déclenché l'hilarité des invités en racontant comme c'était la coutume les frasques adolescentes de son frère. Il s'était gardé de mentionner ses exploits à l'âge adulte — qui n'étaient cependant un secret pour personne car cela faisait douze ans que les frères Sterne défrayaient la chronique.

Après le succulent repas de noce dans la salle de réception du très sélect Hôtel Midas, les mariés ouvrirent le bal. Quel beau couple ils formaient, lui si brun, elle si blonde ! ne cessait de s'extasier intérieurement Sam. Tous les regards étaient braqués sur eux, mais ils n'avaient d'yeux que l'un pour l'autre.

La mère et le beau-père de Darius les rejoignirent sur la piste pour la deuxième danse, puis ce fut au tour de Kim, la sœur d'Andy, avec son mari. A cause de sa jambe, Xander ne put se joindre à eux. Assis à la table d'honneur, il se contenta de discuter avec deux des demoiselles d'honneur.

Ne faisant pas partie de la famille, Sam avait été placée avec sa fille vers le fond de l'immense salle de bal, à une des tables réservées aux amis. Ce qui ne l'empêcha pas de profiter de la fête.

A 21 heures, Daisy tombait de sommeil. La journée avait été longue, il était temps pour Sam de rentrer. Elle prit congé d'Andy et de Darius le plus discrètement possible et s'éclipsa de la salle de bal sans se faire remarquer.

Du moins le croyait-elle car, alors qu'elle était dans le hall en marbre or et noir en train d'aider Daisy à enfiler son manteau, elle entendit derrière elle une voix masculine l'interpeller :

— Vous partez déjà ?

Xander !

— Il est bientôt 21 heures et Daisy est fatiguée, répondit-elle avec un petit sourire. Darius m'a assuré que cela ne vous poserait pas de problème de rentrer en taxi.

— Ah bon ? demanda-t-il d'une voix douce.

Cette douceur était tellement inhabituelle chez lui que Sam, décontenancée, ne put s'empêcher de froncer les sourcils.

— Oui. Je ne voudrais pas vous retenir plus longtemps et vous empêcher de profiter du reste de la soirée, dit-elle pour mettre fin à la conversation.

Xander secoua lentement la tête. Il était plus que lassé de la compagnie d'une de ses voisines de table, une jeune femme qui semblait déterminée à ne pas faire mentir la tradition qui voulait que le témoin du marié couche avec une demoiselle d'honneur le soir du mariage.

Mais surtout il devait s'avouer que, sans Samantha, la soirée ne présentait plus d'intérêt.

Lors de la cérémonie à l'église, comme plus tard à la réception, il n'avait cessé de la chercher du regard, la repérant grâce à ses flamboyantes boucles rousses. Elle portait une robe moulante rouge qui donnait à sa chevelure une teinte cuivrée, et un éclat lumineux à ses joues et à son décolleté.

Il avait pu remarquer que la beauté de Samantha n'était pas passée inaperçue et qu'il n'était pas le seul à la trouver à son goût. Durant la soirée, elle avait été invitée à danser à plusieurs reprises, mais avait systématiquement décliné chaque invitation.

— A vrai dire, je commence moi aussi à être fatigué, déclara-t-il. Si vous voulez bien m'attendre quelques minutes le temps que j'aille dire au revoir, je rentre à la maison avec Daisy et vous.

Samantha était stupéfaite. Entendre Xander dire « à la maison » pour désigner *son* appartement, comme si sa fille et elle y vivaient en permanence, lui avait fait une impression bizarre.

— Bien sûr, acquiesça Sam. Nous vous attendrons ici.

— Merci.

Il retourna en claudiquant vers la salle de bal, s'appuyant lourdement sur la canne qui, pour la circonstance, remplaçait ses béquilles.

— Xander a l'air fatigué lui aussi, maman, fit remarquer Daisy d'une voix douce.

— Monsieur Sterne, chérie, rectifia Sam.

Daisy fronça les sourcils.

— Il m'a dit ce matin que je devais l'appeler Xander.

— Vraiment ?

Sam n'en revenait pas.

— Oui, répondit Daisy avec un grand sourire de sa bouche édentée.

Il était vrai que les traits pâles et tirés, les cernes sombres et le pas traînant de Xander accusaient une grande lassitude. Ce qui n'avait rien d'étonnant. Voilà des semaines qu'il n'avait pas bougé de chez lui, et entre la cérémonie religieuse et la réception où il avait passé la soirée à discuter avec les amis d'Andy et de son frère, cela faisait beaucoup pour une première sortie.

Sam posa les yeux sur sa fille. Elle était vraiment adorable dans sa robe de cérémonie couleur améthyste spécialement achetée pour la circonstance.

— Tu aimes bien Xander, on dirait ?

Daisy hocha la tête.

— Il est gentil.

Gentil ? Après avoir passé les dernières vingt-quatre heures avec lui, ce n'était certainement pas le mot qu'elle emploierait pour décrire son employeur. Il était impossible. Horripilant. Arrogant. Irrévérencieux à l'occasion, comme quand il lui avait demandé si elle avait un tatouage. Mais *gentil* ? Certainement pas !

Et pourtant, Daisy, qui était si souvent timide en présence des hommes, semblait parfaitement à son aise en compagnie de cet homme.

— Prêtes ?

Sam sursauta. Elle était tellement perdue dans ses pensées qu'elle n'avait pas entendu Xander arriver, malgré le bruit que le bout caoutchouté de sa canne avait sûrement fait sur le sol en marbre.

— Prêtes, répondit-elle avec détermination. Si vous voulez vous asseoir ici avec Daisy un petit moment, je vais aller chercher la voiture au parking pour l'amener devant l'entrée de l'hôtel. D'accord ?

— Bonne idée. On va attendre ici tous les deux, tu veux bien, Daisy ? dit Xander en s'adressant à la petite fille.

— Je vais rester ici et m'occuper de Xander à ta place, maman, répondit Daisy en glissant sa petite main dans celle de Xander avec un sourire timide.

La surprise le fit tressaillir. Se pouvait-il qu'il ait apprivoisé la fillette ? Pourvu qu'il se montre à la hauteur de sa confiance ! Et de celle de sa mère. Cette dernière se doutait-elle des efforts qu'il devait faire pour contrôler cette rage qui l'habitait ?

Il en avait discuté une fois de plus avec Darius le matin même, après que Samantha l'eut déposé chez son frère. Ce dernier avait eu toutes les peines du monde à le persuader que son explosion de colère, six semaines auparavant, était tout à fait compréhensible et que lui aussi aurait réagi de la même façon. Que, si Xander avait fait montre d'une telle véhémence, c'était à cause de leur histoire familiale et du père violent qu'ils avaient eu. Ce qui ne signifiait pas que cela se reproduirait.

Mais si Darius avait tort ? Et si Samantha avait senti cette fureur qu'il intériorisait ?

Peut-être ferait-il mieux de suivre les conseils de son frère et d'arrêter de se torturer, songea-t-il tout en s'installant avec Daisy dans deux des fauteuils de la réception. Il ne put s'empêcher d'admirer l'ondulation des hanches de Samantha tandis qu'elle se dirigeait vers l'ascenseur. Avec ses talons d'au moins sept centimètres, ses jambes minces paraissaient interminables. Quel effet cela lui ferait-il d'avoir ces jambes soyeuses autour de sa taille ?

Il était en train de s'imaginer comment il ferait l'amour à Samantha quand soudain il laissa échapper un juron. Tout à ses fantasmes, il n'avait pas remarqué qu'un homme avait abordé la jeune femme. Il lui parlait à présent en la retenant fermement par le bras et, lorsque Samantha tourna brièvement la tête dans leur direction, il comprit, à son regard angoissé et à la pâleur de son visage, qu'elle était en fâcheuse posture.

Son sang ne fit qu'un tour. Impossible de rester indifférent au spectacle d'un homme en train de malmener une femme.

L'homme resserra l'étreinte de ses doigts sur le bras de Samantha tandis qu'il lui parlait à voix basse d'un ton véhément.

— Lâche-moi immédiatement, Malcolm ! s'écria Sam d'un ton brusque.

Elle regardait droit dans les yeux l'homme à qui elle avait été mariée et qu'elle pensait ne jamais revoir. Surtout pas ici ! Quelles étaient les chances que Malcolm soit à l'Hôtel Midas le soir même où elle s'y trouvait pour la réception de mariage d'Andy et Darius ?

Et d'ailleurs, étant donné la vie qu'elle menait depuis son divorce, quelles étaient les chances pour qu'elle mette jamais les pieds dans un hôtel aussi sélect, qui plus est le même soir que son ex ?

A moins que…

Etait-il possible que Malcolm fasse partie des invités d'Andy et de Darius ? Sam avait bien entendu parlé de son bref mariage et de son divorce à son amie, mais seulement en passant. Elle n'avait cependant pas mentionné le nom de son ex-mari. Le couple avait invité une cinquantaine de personnes à la soirée. C'était pour la plupart des parents d'élèves de l'école de danse d'Andy ou des relations d'affaires de Darius. Peut-être Malcolm faisait-il partie de cette dernière catégorie ? Il ne lui était jamais venu à l'esprit que Malcolm et Darius étaient susceptibles de se connaître ; mais après tout son ex-mari était un homme d'affaires prospère, tout comme les frères Sterne, et…

Seigneur ! Cela signifiait-il que Xander connaissait Malcolm, lui aussi ?

— Je t'ai demandé ce que tu faisais ici, Sam, dit Malcolm d'une voix dure sans lui lâcher le bras.

Mais pour qui se prenait-il ? Elle bouillait de colère et d'indignation.

— Et moi, je t'ai dit que cela ne te regardait pas et que je n'avais pas de comptes à te rendre. Lâche-moi immédiatement si tu ne veux pas que j'appelle la sécurité.

— Espèce de petite…

— Ça suffit comme ça, Malcolm ! lança-t-elle entre ses dents serrées, sans se laisser impressionner par son regard furieux.

Comment avait-elle pu épouser un type pareil ? Comment avait-elle pu faire autant d'efforts après la naissance de Daisy pour sauver leur mariage ? Comment avait-elle pu croire qu'elle l'aimait ? Certes, à quarante et un ans, Malcolm était encore un bel homme. Toutefois, le pli cruel de sa bouche et l'éclat froid de ses yeux bleus ne lui échappèrent pas.

— Dis donc, tu es d'un chic, déclara-t-il en la détaillant des pieds à la tête avec une outrecuidance manifeste. Tu es absolument fabuleuse dans cette robe rouge. Mais tu l'es encore plus sans, si mes souvenirs sont exacts.

Il la déshabillait du regard, les yeux brillant de désir. Sam sentit un frisson de dégoût la parcourir. Quel grossier personnage !

— Heureusement pour moi, je sais à quoi m'en tenir avec toi, dit-elle avec dédain. Sache que tu ne m'inspires rien d'autre que du mépris.

Le visage de Malcolm devint rouge de colère.

— Qu'as-tu fait de ta précieuse fille pendant que tu sortais t'amuser ? demanda-t-il d'un ton hargneux.

Elle fit un effort considérable pour s'empêcher de jeter un coup d'œil en direction de la réception. Pourvu que Malcolm ne s'aperçoive pas que Daisy était là ! Depuis leur divorce, celle-ci n'avait pas une seule fois parlé de son père, et il n'était pas du tout sûr qu'elle le reconnaisse si elle le voyait. En tout cas, c'était ce que Sam espérait.

— Là encore, ça ne te regarde absolument pas, répliqua-t-elle, le menton levé en signe de défi.

— Elle est aussi ma fille.

— Daisy n'a jamais été ta fille !

Comment osait-il, après la façon dont il l'avait traitée ? Sam fulminait d'indignation.

— Et maintenant, tu me lâches ou j'appelle la sécurité ! Je t'aurais prévenu.

Malcolm desserra lentement son étreinte.

— Et si on prenait tous les deux une chambre pour la nuit ? suggéra-t-il en la fixant d'un regard libidineux.

Là, il dépassait les bornes. Un vrai mufle, et toujours aussi sûr de lui. Qu'est-ce qu'il s'imaginait ? Qu'elle allait succomber à son charme ravageur ? Rien que d'y penser, un nouveau frisson de dégoût la parcourut.

Elle l'aurait volontiers giflé. Or elle n'avait pas envie d'attirer l'attention de Xander, d'autant plus qu'un bref coup d'œil du côté de la réception lui apprit que ce dernier devait se douter de quelque chose. Elle le vit en effet se lever maladroitement, le regard fixé sur Malcolm et elle.

Il fallait absolument que Xander ne rencontre pas son ex-mari. Sinon, elle ne couperait pas à l'interrogatoire en bonne et due forme qu'il ne manquerait pas de lui faire subir. Et pour rien au monde elle n'avait envie de lui livrer des détails sur sa relation avec Malcolm. En particulier parce qu'elle n'était pas spécialement fière de son acharnement à essayer de sauver son mariage, et des sacrifices qu'elle avait faits pour y arriver.

Comment avait-elle pu à ce point perdre la tête pour un homme dont le charme et la beauté dissimulaient une nature froide et cruelle ? Un homme dont il lui fallait maintenant se débarrasser à tout prix.

Fort heureusement, sans doute Malcolm n'avait-il pas envie de courir le risque d'un scandale si Samantha appelait la sécurité car il déclara d'un ton mauvais :

— Je pars. Mais je n'ai pas dit mon dernier mot.

— Moi si, répliqua Samantha sans se laisser démonter.

Il sourit d'un air narquois.

— C'est ce que nous verrons. Je te trouve bien plus excitante maintenant que tu es devenue une vraie femme.

— Nous sommes divorcés.

— Et alors ?

— Nous avions conclu un marché, lui rappela-t-elle

d'une voix tremblante. Daisy et moi restons en dehors de ta vie, et toi en dehors de la nôtre.

Malcolm haussa les épaules comme si c'était un détail insignifiant.

— Le marché tient toujours. Mais il a un prix.

— J'ai déjà payé.

— Certes, mais maintenant je veux toucher les intérêts.

Les yeux de Malcolm s'étrécirent jusqu'à n'être plus que deux fentes sombres.

— Embrasse ma fille pour moi lorsque tu la verras, ajouta-t-il d'une voix douce, et menaçante.

— Espèce de…

— Bonne fin de soirée, Sam, ironisa-t-il en tournant les talons pour regagner la salle de bal.

Complètement désemparée, Sam poussa un long soupir. Elle tremblait de tous ses membres. Avec Malcolm, elle pouvait s'attendre au pire. Si seulement elle était partie plus tôt. Si seulement elle n'était pas venue au mariage…

— Tout va bien, Samantha ?

Xander avait réussi à s'extraire de son fauteuil et à arriver jusqu'à elle, tenant Daisy par la main. Pourvu qu'elle n'ait pas reconnu son père ! songea Sam en scrutant le visage de sa fille, sur lequel elle ne lut que de la fatigue.

Après tout, pourquoi Daisy aurait-elle reconnu Malcolm ? Elle ne l'avait pas revu depuis ses deux ans et n'avait pratiquement pas eu de contacts avec lui avant.

— Qui était cet homme, Samantha ? demanda calmement Xander.

La fureur qui s'était emparée de lui lorsqu'il avait vu l'inconnu malmener Samantha était retombée. Même s'il avait toujours envie de l'étrangler, il avait réussi à se contrôler.

Il la vit déglutir avant de répondre.

— Quelqu'un qui m'avait manifestement prise pour une autre, dit-elle d'un ton sans appel, avec un haussement d'épaules.

Xander fronça les sourcils, dubitatif.

— Une conversation aussi longue quand une seule phrase aurait dû suffire ?

— Pas si longue que ça. Et maintenant, proposa-t-elle avec désinvolture, autant descendre tous au parking puisque vous êtes là tous les deux.

Xander n'était pas dupe. L'intensité de la conversation, l'expression du visage de Samantha quand elle avait parlé à cet homme n'avaient absolument pas donné l'impression qu'elle assurait poliment à un inconnu qu'il l'avait prise pour une autre. La jeune femme avait d'abord paru bouleversée, puis d'une froideur énigmatique et enfin effrayée.

Quant à l'homme, il l'avait à un moment donné regardée d'un air possessif. Un ancien amant ? Ce serait une explication à leur conversation houleuse nettement plus plausible que celle que venait de lui donner Samantha, avec un aplomb qu'il avait trouvé surjoué.

De toute façon, tôt ou tard, il saurait la vérité sur l'homme qui l'avait accostée. Et plutôt tôt que tard. Mais dans l'immédiat, continuer à questionner Samantha serait infructueux.

Il accepta sa suggestion de descendre tous ensemble au parking et s'engouffra dans l'ascenseur avec la mère et la fille.

Aussitôt rentrée, Sam s'empressa de doucher sa fille et de la mettre au lit, avant de rejoindre Xander au salon.

— Daisy est couchée ? demanda ce dernier.

— Elle dort à poings fermés.

Xander nota que Samantha s'était changée. Elle portait

un pull bleu avec un jean délavé. Elle était pieds nus et avait attaché ses cheveux au sommet de son crâne.

— Alors venez prendre un dernier verre avec moi, proposa-t-il en brandissant une carafe de brandy.

Il avait ôté sa veste, sa cravate et défait le premier bouton de sa chemise à col cassé.

— Et avant de répondre « non merci » avec la politesse qui vous caractérise, poursuivit-il en remplissant deux verres en cristal, sachez que ce n'est pas une invitation mais un ordre.

— Je suis fatiguée, argua Sam.

— Il est à peine un peu plus de 22 heures.

— Oui, mais la journée a été longue et bien remplie.

— Un brandy vous aidera à vous détendre avant d'aller vous coucher.

Après avoir laissé sa canne près de la cheminée, Xander traversa lentement la pièce en clopinant, posa les deux verres sur la table basse puis s'affala sur le canapé.

— Je suis parfaitement détendue, assura Samantha.

Sa tension était palpable et son attitude rigide démentait ses paroles.

— Menteuse, affirma-t-il.

Elle changea de physionomie.

— Je n'apprécie pas spécialement d'être traitée de menteuse.

— Et moi, je n'apprécie pas spécialement qu'on me mente, répliqua-t-il, courroucé.

— Alors, cessez de poser des questions auxquelles je ne veux visiblement pas répondre.

La tension de Xander s'évanouit.

— Voilà une repartie honnête, dit-il avec un petit sourire.

— Je suis toujours honnête. Le problème, c'est que vous ne cessez de me poser des questions sur ce qui ne vous regarde absolument pas, alors ne vous étonnez pas si je refuse d'y répondre.

— Faites-moi plaisir : asseyez-vous et buvez votre brandy, fit-il d'une voix rauque en tapotant le coussin près de lui.

Sam ignora son invitation à le rejoindre sur le canapé mais, prenant un verre, elle avala d'un coup une grande gorgée de brandy avant de s'arrêter net, le souffle coupé, la gorge en feu.

— Waouh, s'exclama-t-elle, les joues écarlates, tandis que des larmes brouillaient sa vision.

— C'est un alcool de qualité. Il ne se boit pas comme de la piquette, railla Xander.

— Parce que vous avez déjà bu de la piquette, peut-être ! fit-elle d'un ton narquois.

Elle se lova dans un fauteuil, les jambes repliées sous les fesses et son verre de brandy au creux des mains.

— Jamais, en effet, reconnut-il sèchement. Alors, qui était-ce, Samantha ?

— Qui ? demanda-t-elle, sur ses gardes.

— L'homme, à l'hôtel. Un ancien amant ? Ou un amant actuel que vous ne vous attendiez pas à rencontrer à cet endroit ?

— Ne soyez pas ridicule ! dit-elle d'un ton cassant.

— Quel adjectif est ridicule : ancien ou actuel ?

— Les deux. Je n'ai pas d'anciens amants et, entre mon travail et Daisy, je suis bien trop occupée pour entretenir une relation amoureuse.

Intéressant, songea Xander. Cela signifiait-il que le père de Daisy était le seul homme à avoir partagé son lit ? A avoir touché sa peau nue ? Difficile à imaginer alors que Samantha était divorcée depuis trois ans… Se pouvait-il qu'en trois ans elle n'ait pas une seule fois fait l'amour ? Il lui était inimaginable de rester trois mois sans femme, alors trois ans !

Il la fixa derrière ses paupières mi-closes.

— Quel âge avez-vous ?

— Quoi ?

Elle semblait désarçonnée.

— Quel âge avez-vous ? répéta Xander avec un haussement d'épaules. Je ne vois pas ce que cette question a de si extraordinaire.

— Et vous ? lui retourna-t-elle avec un air de défi.

— Trente-trois ans, répondit-il sans hésitation.

Sam poussa un soupir résigné. Impossible de se dérober à présent, au risque de paraître étroite d'esprit.

— J'ai vingt-six ans.

— Vous avez dû vous marier très jeune, observa Xander d'un air étonné.

— Qu'est-ce que l'âge a à voir quand on tombe amoureuse ? Ou qu'on *se croit* amoureuse…

— Je ne saurais vous répondre, vu que je n'ai jamais été amoureux. Ce qui veut dire que vous n'aviez pas plus de… vingt et un ans à la naissance de Daisy.

— Oui.

— Et à peine vingt-trois quand vous avez divorcé ?

Où diable voulait-il en venir ? se demanda Sam. Cette conversation mettait ses nerfs à rude épreuve.

— Oui, admit-elle néanmoins.

— Et vous dites que vous n'avez pas fait l'amour depuis, pas même une seule fois ? Pas même avec votre ex-mari, en souvenir du bon vieux temps ?

Sam pâlit et ses mains se mirent à trembler, les doigts serrés autour de son verre.

— Ne soyez pas sordide, réussit-elle finalement à articuler d'une voix hachée.

Xander plissa les yeux, secouant la tête d'un air dubitatif.

— Je ne crois pas un mot de l'histoire que vous m'avez racontée tout à l'heure, Samantha. Je suis persuadé que vous connaissez l'homme qui vous a adressé la parole à l'hôtel. Que vous le connaissez même *très bien*.

— Et vous, vous le connaissez ?

— Moi ? demanda-t-il en fronçant les sourcils. Je ne l'ai pas bien vu parce qu'il avait le visage tourné, mais je ne crois pas. En revanche, je reste persuadé que *vous* le connaissez parfaitement.

Sam était hors d'elle. Cette conversation était allée beaucoup trop loin. Elle s'avança au bord du fauteuil et posa son verre de brandy avec une telle véhémence qu'une partie de l'alcool gicla sur la table.

— C'est tout de même incroyable ! Comment tout s'est-il enchaîné pour que vous m'accusiez d'avoir été un jour intime avec un étranger qui m'a confondue avec une autre, alors que je vous avais simplement dit que j'étais fatiguée ?

Ce qui était incroyable, selon Xander, c'était de la voir en colère. Tout en elle s'embrasait, ses cheveux, ses yeux, ses joues, ses lèvres entrouvertes, ses seins tendus à travers le fin jersey de son chandail.

— Je ne sais pas… Comment en est-on arrivés là ? Peut-être que si vous aviez cessé de ment… peut-être que si vous m'aviez dit la vérité, se reprit-il en voyant Samantha près d'exploser s'il l'avait encore traitée de menteuse, je n'aurais pas eu besoin de vous poser la même question.

— Je vous l'ai dit, je ne…

Sam s'interrompit brusquement en entendant un cri perçant.

— Daisy ! hurla-t-elle.

Elle bondit sur ses pieds et se précipita vers la chambre de sa fille.

6.

Arrivée devant la chambre de Daisy, Sam poussa la porte qu'elle avait laissée entrebâillée et, à la lueur de la veilleuse, elle aperçut sa petite fille assise sur son lit. Les yeux agrandis par la peur, elle continuait de hurler tandis que des larmes ruisselaient sur son visage rougi.

— Je suis là, ma chérie !

Elle s'assit sur le bord du lit et prit sa fille dans ses bras. Celle-ci se débattit.

— Tout va bien, chérie, la rassura Sam. C'est maman.

Elle écarta les mèches de cheveux qui barraient le visage de Daisy. Toujours secouée de tremblements, cette dernière cessa néanmoins de se débattre et leva les yeux vers elle.

— Maman ? murmura-t-elle d'une voix hésitante.

— Tu as fait un mauvais rêve, chérie. Ce n'était qu'un rêve, répéta Sam pour la rassurer.

Daisy, plus calme à présent, se blottit contre elle. Tout en la réconfortant, Sam s'interrogeait sur la raison de son cauchemar. Avait-elle reconnu son père à l'hôtel, contrairement à ce qu'elle avait pensé — soit consciemment, soit inconsciemment ? Depuis trois ans, donc depuis qu'elles avaient quitté Malcolm, sa fille n'avait pas une seule fois eu ce genre de frayeurs nocturnes, pourtant récurrentes dans sa toute petite enfance.

— Elle va bien ?

Sam se retourna. Xander était entré dans la chambre

sans faire de bruit. Comment Daisy allait-elle réagir à la présence d'un homme juste après son cauchemar ? La réponse ne se fit pas attendre, balayant toutes ses craintes.

— Xander ! s'écria Daisy en s'élançant vers lui.

Il eut à peine le temps de lâcher sa canne et d'ouvrir les bras pour la recevoir, tentant de trouver un équilibre précaire. Elle ne pesait pas bien lourd, mais c'était trop pour sa jambe blessée et il faillit s'effondrer sous son poids. Après s'être rétabli, il jeta un coup d'œil furtif vers Samantha.

Assise sur le lit, elle les regardait tous les deux avec une expression hébétée. Ses joues avaient perdu leur couleur et des larmes perlaient au coin de ses yeux. Le cauchemar de Daisy avait-il une cause plus inquiétante que la surexcitation d'une journée riche en émotions ?

La petite se pelotonna contre son torse en bâillant, et il la reconduisit lentement vers son lit.

Quelques secondes plus tard, elle dormait profondément, comme s'il n'y avait jamais eu ni mauvais rêve ni réveil brutal. Avec un peu de chance, songea Xander, au matin, elle aurait tout oublié.

Sa mère, en revanche, blême et les traits tirés, était loin d'avoir recouvré ses esprits.

— Allons finir notre brandy, proposa Xander.

Il récupéra sa canne avec une grimace de douleur.

— Je devrais peut-être rester un peu au cas où, non ? hasarda Samantha d'une toute petite voix.

— Nous l'entendrons, si elle appelle de nouveau.

Il lui tendit la main pour l'inciter à se lever. Sa jambe lui faisait de plus en plus mal et le lançait terriblement. Il n'allait pas pouvoir rester debout plus longtemps.

— Allez, Samantha, l'encouragea-t-il d'un ton bourru, conscient qu'il avait vraiment besoin d'aller s'asseoir.

**
*

Sam, absente, ne savait que faire, soucieuse à l'idée que le cauchemar aurait pu être provoqué par la vue de Malcolm, trop perturbée par l'incident pour répondre.

Lorsque Daisy était toute petite, ses cauchemars étaient fréquents ; à l'époque, Sam n'avait pas fait le rapprochement avec la situation tendue dans son foyer. Ce ne fut qu'une fois que toutes deux eurent quitté la maison que les cauchemars avaient brusquement cessé.

Jusqu'à aujourd'hui.

Et comme par hasard cela s'était produit après la rencontre avec Malcolm à l'hôtel, un peu plus tôt dans la soirée. Simple coïncidence ? Certes, sur le moment, rien n'indiquait que Daisy avait reconnu son père, mais peut-être s'agissait-il d'une reconnaissance subconsciente ? Le cerveau nous jouait parfois des tours…

— Samantha ? lança de nouveau Xander.

Elle cligna des yeux et le fixa comme si elle ne savait pas qui il était.

— Désolée, fit-elle en se levant. C'était tellement… inattendu.

Elle resta un instant immobile, puis le suivit — après avoir laissé la porte de la chambre grande ouverte, cette fois-ci.

— Elle n'avait plus fait de cauchemar depuis que nous vivons seules toutes les deux, murmura-t-elle en entrant dans le salon.

— C'était sans doute dû à l'excitation de la soirée, vous ne croyez pas ? suggéra Xander en remplissant leurs verres. Vous vous sentirez mieux si vous buvez un autre verre. A condition de prendre votre temps !

Sam prit le verre sans broncher. Elle était trop préoccupée par le cauchemar de Daisy pour polémiquer sur un verre de brandy.

— Sans doute. Elle a eu une journée trépidante. Mais...

— Cessez de vous inquiéter, la coupa gentiment Xander en s'affalant sur le canapé.

Il ne tenait plus sur ses jambes et serait tombé s'il était resté debout plus longtemps. La journée avait été particulièrement éprouvante pour lui, et sa jambe, qu'il avait sollicitée au-delà du raisonnable, le faisait atrocement souffrir. Que Daisy se jette brusquement sur lui n'avait pas arrangé les choses.

Jamais il n'aurait imaginé que la petite fille puisse trouver chez lui le réconfort dont elle avait besoin ! Cette marque de confiance, qui le rassurait sur son propre compte et balayait les doutes qu'il avait sur sa capacité à se contrôler, valait bien la souffrance endurée...

Quant à Samantha, à en juger par sa mine défaite, elle avait certainement besoin de réconfort elle aussi.

— Venez vous asseoir près de moi, ordonna-t-il d'une voix qui n'admettait pas de réplique. Et ne m'obligez pas à me lever pour aller vous chercher, ajouta-t-il avec une grimace de douleur.

Elle le regarda de nouveau d'un air absent durant de longues secondes, comme si elle avait oublié qu'il était là, puis traversa la pièce comme une somnambule pour le rejoindre. Sa pâleur et les cernes bleuâtres autour de ses yeux améthyste étaient saisissants. De toute évidence, il n'y avait pas que le cauchemar de Daisy qui la tracassait.

Il se souvint de l'impression qu'il avait eue qu'elle lui mentait. Il fallait qu'il sache !

— Cet homme, à l'hôtel, fit-il d'une voix douce, c'était votre ex-mari, n'est-ce pas ?

Sam tourna la tête vers Xander avec l'intention de nier ; mais, devant son expression implacable et la lueur de défi dans ses yeux sombres, elle comprit qu'il valait mieux qu'elle dise la vérité.

— Oui, répondit-elle après une profonde inspiration, en se laissant aller contre le dossier du canapé et en fermant les yeux. Oui, c'était lui. J'ai eu… Je… J'ai eu un tel choc en le voyant. Cela faisait pratiquement trois ans que je ne l'avais pas croisé.

— Jusqu'à ce soir.

— Jusqu'à ce soir, acquiesça-t-elle.

— Les retrouvailles n'ont visiblement pas été particulièrement joyeuses.

— C'est le moins qu'on puisse dire.

— Mais comment se passent les rencontres entre Daisy et son père si vous n'avez plus de contacts avec lui ?

— Daisy ne voit pas son père.

— Mais…

— Ecoutez, Xander, je n'ai vraiment pas envie d'aborder le sujet, d'accord ? déclara Samantha en se redressant avec l'intention de se lever.

Il lui posa la main sur l'épaule pour l'en empêcher.

— Non, je ne suis pas d'accord. Je veux comprendre, Samantha. J'ai *besoin* de comprendre.

— Pourquoi ?

— Parce que, allez savoir pourquoi, ça me tient à cœur.

— Vous ne me connaissez même pas, objecta-t-elle en secouant la tête.

— Mais j'essaie.

Samantha le fixa longuement avant de secouer de nouveau la tête.

— Non. Je… Il n'en est pas question, finit-elle par bredouiller en tentant à nouveau de se lever.

La laisser partir maintenant ? Impossible, Xander ne pouvait l'accepter. Après tout, si Samantha n'avait pas envie de répondre à ses questions maintenant, rien ne pressait.

Néanmoins, tout au long de la journée, son désir de prendre cette femme dans ses bras et de la couvrir de baisers avait été si fort qu'il ne pouvait plus attendre pour le faire. Il avait envie de l'embrasser encore et encore, jusqu'à ce qu'elle ne pense à rien d'autre qu'à lui.

Etait-ce raisonnable, alors qu'ils allaient vivre sous le même toit pendant les deux semaines à venir ? Après toutes les émotions que Samantha avait déjà eues aujourd'hui ?

Oh, et puis au diable la raison !

C'était peut-être insensé, mais embrasser cette jeune femme courageuse et lumineuse lui était plus nécessaire que l'air qu'il respirait.

— Ne me repousse pas, Samantha, murmura-t-il en se rapprochant d'elle.

Les yeux écarquillés, Sam vit le visage de Xander se rapprocher du sien. Du bras, il lui entoura délicatement les épaules.

Seigneur, il allait l'embrasser !

— Xander…

Elle n'eut pas le temps de protester. Déjà les lèvres sensuelles pressaient les siennes avec une infinie douceur.

A leur contact, son cœur bondit dans sa poitrine et sa main se mit à remonter d'elle-même pour prendre la joue mal rasée de Xander dans le creux de sa paume. Lorsqu'il la saisit par la taille pour l'attirer tout contre lui, son corps s'embrasa.

Comment résister aux baisers brûlants de son partenaire quand, les seins écrasés contre son torse, elle n'aspirait qu'à se fondre en lui ?

Avec un gémissement rauque, Xander renversa doucement Samantha sur le canapé tout en la tenant enlacée. Leurs corps s'épousèrent, leurs jambes s'entremêlèrent. Lorsque les doigts de la jeune femme s'enfoncèrent dans ses cheveux, il frémit de plaisir.

Galvanisé, il se mit à lui parsemer la joue de petits baisers, en remontant vers son oreille, qu'il mordilla du bout des dents, arrachant à Samantha un léger soupir. Puis ses lèvres glissèrent le long de son cou gracile tandis qu'il insinuait une main sous son pull pour épouser la rondeur d'un sein. Le contact de cette peau douce et tiède, qui palpitait contre sa paume, décupla son excitation. D'un geste fébrile, il lui ôta son pull, puis releva la tête pour contempler sa poitrine nue.

Alors, Xander aperçut l'aigle tatoué qui ornait le haut de son sein droit.

— J'en étais sûr ! exulta-t-il en se penchant pour parcourir de la langue le tracé de ce tatouage ô combien sexy.

Il se rendit aussitôt compte qu'il avait commis une grave erreur en parlant : Samantha s'était aussitôt raidie. Elle le repoussa.

— Arrêtez, Xander ! Arrêtez, je vous en prie, implora-t-elle d'une voix étouffée.

— Pourquoi ?

Ce revirement le déconcertait. Il avait les yeux toujours braqués sur les seins parfaits de Samantha. Comment s'arracher à cette délicieuse étreinte ? Comment interrompre ce doux corps-à-corps quand tout son être brûlait de désir ?

— Je vous en supplie, répéta la jeune femme d'un ton plus pressant, dans un sanglot étouffé. Je ne… Il ne faut pas.

Elle continuait à le repousser. Il releva lentement la

tête et la regarda. Elle haletait, sa poitrine admirable se soulevait et s'abaissait au rythme de sa respiration saccadée. Les joues pâles, les lèvres gonflées par les baisers, les yeux troubles, elle semblait en proie à une folle inquiétude.

Pourquoi, bon sang ? Parce qu'il l'avait embrassée et caressée ? Alors qu'elle semblait consentante ?

Semblait…

Se pouvait-il qu'il se soit mépris sur sa réaction ? Que son envie de l'embrasser et de la caresser ait été si impérieuse qu'il avait pris l'absence de protestation de Samantha pour un encouragement ? Etait-il possible que, depuis le temps qu'il n'avait pas tenu une femme dans ses bras, il n'ait pas été capable d'interpréter les signaux qu'elle lui envoyait ?

Il se maudit intérieurement. Bien sûr qu'il n'en avait pas été capable ! Samantha lui avait-elle seulement donné l'impression qu'elle avait envie qu'il l'embrasse ? Absolument pas ! Il s'était imaginé que son désir à lui était partagé, alors qu'elle avait juste besoin de réconfort. Quelle stupide méprise !

Honteux, il s'écarta de Samantha, avant de s'asseoir avec une grimace à cause de la douleur causée par sa jambe.

— Je suis désolé, fit-il en se passant une main dans les cheveux.

Il rajusta ses vêtements.

— C'était vraiment déplacé de ma part, ajouta-t-il.

Sam ne pouvait dire le contraire. Pourtant, comme elle aurait voulu être moins raisonnable et accepter ce que Xander lui offrait : une folle nuit d'amour !

Il exerçait sur elle une irrépressible attraction et avait éveillé en elle un désir qu'elle croyait éteint depuis longtemps.

Mais il n'y avait pas que l'attirance physique. Elle voulait tout connaître de lui, savoir ce que cachaient les ombres qui obscurcissaient parfois son regard, comme si des souvenirs douloureux venaient le tourmenter. Des souvenirs qu'elle avait envie de connaître et de partager avec lui.

Bien sûr, c'était complètement ridicule.

Pourquoi Xander Sterne, le play-boy milliardaire, aurait-il des souvenirs douloureux ? Et surtout, s'il en avait, pourquoi irait-il les partager avec quelqu'un comme elle ? Elle devait voir la réali+té en face : il était son patron. S'il éprouvait pour elle une attirance fugace, qu'elle ne se fasse pas d'illusions, cela n'irait pas plus loin.

— Je suis désolé, Samantha, dit-il de nouveau.

— Moi aussi, déclara-t-elle sans le regarder.

— Mais de quoi ?

De quoi ? Eh bien, d'avoir tout simplement ressenti un violent désir, et d'avoir réagi avec fougue à ses baisers et à ses caresses.

Comment avait-elle pu s'enflammer à ce point, elle qui n'avait pas même regardé un homme depuis son divorce ? Comment avait-elle pu éprouver une excitation comme elle n'en avait jamais connue, même au début de son mariage avec Malcolm ?

C'était terrifiant…

Elle ne voulait rien éprouver pour Xander Sterne en dehors de l'intérêt qu'une aide à domicile manifeste pour la personne dont elle s'occupe.

Elle ne voulait pas l'apprécier. Ou le désirer.

Et, par-dessus tout, elle ne voulait pas être assez stupide pour tomber amoureuse de lui !

— Allez vous coucher, ordonna Xander d'une voix brusque en constatant l'extrême pâleur de Samantha. Je me débrouillerai pour me déshabiller tout seul ce soir, et vous pourrez m'aider à prendre ma douche demain matin.

Elle en fut nettement soulagée.

— Vous êtes sûr ?

— Tout à fait, confirma-t-il.

Samantha ne se le fit pas dire deux fois. Elle quitta la pièce sans demander son reste.

7.

Il faisait si beau ce lundi matin que Sam avait décidé d'amener sa fille à l'école à pied.

Après l'avoir conduite jusque dans sa classe, elle s'apprêtait à prendre le chemin du retour lorsqu'elle s'entendit héler :

— Monte dans la voiture, Sam !

Seigneur, cette voix tant redoutée, celle de Malcolm…

Malgré les menaces qu'il avait proférées le samedi soir, et qu'elle avait passé le week-end à essayer d'oublier, elle ne s'attendait absolument pas à le trouver là, au volant d'une élégante berline noire dont il avait baissé la vitre côté passager pour l'interpeller.

Elle lui lança un regard furieux, bien décidée à ne pas obtempérer.

— Tu vas monter, bon Dieu, ou tu préfères que je sorte de la voiture pour qu'on discute sur le trottoir ?

Avait-elle d'autre choix que de s'exécuter ? Elle n'avait pas envie de provoquer une scène et de faire du tort à Daisy. Déjà, les mères qui sortaient de l'école leur lançaient des regards curieux en passant devant eux. Pas étonnant ! Elles avaient toujours vu Sam seule quand elle accompagnait ou venait chercher sa fille.

Elle ouvrit la portière d'un geste brusque et s'installa sur le siège passager.

— Qu'est-ce que tu fais ici, Malcolm ? demanda-t-elle avec humeur.

Aussitôt, l'odeur épicée de son après-rasage lui monta au nez. Cette odeur, qui pour elle serait toujours associée à Malcolm, lui était insupportable au point d'être mal s'il lui arrivait de la sentir sur un autre homme. Elle dut faire un effort pour réprimer un haut-le-cœur.

Après le week-end qu'elle venait de passer, elle n'avait vraiment pas besoin de cette épreuve supplémentaire !

D'abord, les horribles menaces de Malcolm, puis la situation embarrassante qui l'avait vue à deux doigts de succomber aux avances de Xander, et enfin sa gêne à la perspective de se retrouver en sa présence le lendemain matin.

Mais ses craintes avaient été vaines. Xander regrettait apparemment autant qu'elle leur moment d'égarement. Ils n'avaient guère échangé plus d'une douzaine de mots au moment de la douche et, plus tard, il avait poliment refusé de se joindre à Daisy et elle pour aller à la piscine après le déjeuner dominical. Il avait passé l'après-midi à travailler dans son bureau. A leur retour, il avait assuré qu'il se débrouillerait pour se faire à manger plus tard s'il avait faim.

Heureusement, Daisy avait visiblement oublié qu'elle avait fait un cauchemar. Et heureusement, l'incident ne s'était pas reproduit la nuit précédente.

Tout ce qui importait à présent à Sam, c'était de clore au plus vite l'entretien avec Malcolm.

— J'ignorais que tu connaissais l'école de Daisy, lâcha-t-elle, méfiante.

— Tu serais surprise de savoir tout ce que j'ai pu découvrir sur Daisy et toi ces dernières vingt-quatre heures, répondit-il avec un sourire satisfait.

— Tu… tu nous as fait espionner ? bredouilla-t-elle, affolée.

Il cessa de sourire et lui lança un regard glacial.

— Je dois dire que c'est quand je t'ai vue à l'Hôtel

Midas, avant-hier soir, que j'ai pensé que ce serait intéressant de savoir ce que tu étais devenue.

Un pli mauvais déforma sa bouche.

— J'ai engagé un détective privé, et devine ce que j'ai déjà découvert ? Que mon ex-épouse et ma fille vivent actuellement chez Xander Sterne.

La colère envahit Sam.

— Ce n'est pas ton affaire, l'endroit où nous habitons !

— J'ai décidé d'en faire mon affaire, figure-toi, répondit Malcolm en lui saisissant le poignet. Xander Sterne...

Il avait prononcé ce nom en hochant la tête, comme s'il avait du mal à croire que puisse exister un lien entre elle et l'homme d'affaires.

— Lâche-moi, ordonna-t-elle en se débattant.

— Tu fais une fixation sur les hommes riches et puissants, on dirait, railla Malcolm.

— Si tu veux dire que je les méprise, alors tu as raison.

— Le fait que tu vives avec Sterne semblerait contredire cette affirmation.

La fureur que Sam lut dans les yeux de son ex la fit trembler intérieurement.

— Il n'y a rien entre M. Sterne et moi.

— Ce n'est pas ce qu'on m'a dit, susurra Malcolm d'une voix mauvaise. Et tu as mêlé ma fille à ta minable liaison, ce qui pourrait remettre en question devant un tribunal ta capacité à être une bonne mère.

Cette menace à peine voilée fit sortir Sam de ses gonds.

— Comment oses-tu ? s'écria-t-elle. Comment oses-tu me dire une chose pareille, toi qui as toujours fait comme si Daisy n'existait pas ! Toi qui as *vendu* ta fille pour que je renonce à mes droits dans le cadre du divorce. Comment oses-tu maintenant m'accuser d'être une mère indigne quand tu n'as jamais été un père pour Daisy, pas même une minute ?

— J'ai peut-être changé, rétorqua-t-il en haussant les épaules. J'ai peut-être pris conscience qu'il était temps que j'apprenne à mieux connaître ma fille. Je suis sûr que les juges prêteront une oreille bienveillante si je leur…

— Non ! protesta Sam énergiquement. Tu n'as pas le droit ! On a passé un marché.

— Comme je te l'ai dit samedi soir, il n'y a aucune raison qu'on revienne là-dessus. Il suffit que tu laisses tomber Sterne et que tu deviennes ma maîtresse.

Horrifiée, Sam eut l'impression que le sol se dérobait sous ses pieds.

— Pas question ! Impossible.

— Quand on veut on peut, insista Malcolm. Tu sais bien que, pour Daisy, tu ferais l'impossible !

Elle le dévisagea sans complaisance. Une fois de plus elle le vit tel qu'il était sous son masque social : un homme froid et manipulateur. Le pli dur de sa bouche et l'éclat sombre de ses yeux dénotaient une cruauté manifeste. Risquer qu'il obtienne un droit de visite — ou pire : de garde alternée —, c'était exposer Daisy à d'inévitables dégâts émotionnels.

— Pourquoi fais-tu cela ? demanda-t-elle en retenant ses larmes. Pourquoi ?

— Tout simplement parce que j'ai décidé de t'avoir de nouveau dans mon lit, avoua-t-il d'un air détaché.

Un cynisme pareil, c'était proprement ahurissant… Sam tâcha de se ressaisir pour affronter ce monstre.

— Je n'éprouve rien pour toi, Malcolm. Pas même de la sympathie.

— Quel rapport ? Je ne supporte tout simplement pas que tu appartiennes à un autre homme.

— Je n'appartiens à personne !

— Tu n'*appartenais* à personne ces trois dernières années. Et il n'est pas question que tu appartiennes à qui que ce soit maintenant. Je suggère donc que Daisy et toi quittiez l'appartement de Sterne dès que tu lui auras dit que tu mettais un point final à votre petite liaison. De préférence avant la fin du week-end.

Sam comprit alors que son ex-mari l'espionnait depuis longtemps. Très longtemps. Quelle ordure !

— Impossible.

— C'est bien dommage.

— Tu ne comprends pas. Je n'ai pas de liaison avec Xander Sterne, je travaille pour lui. Comme aide à domicile. Il a eu un accident de voiture et il a besoin d'aide pour…

Elle se tut subitement. Ce n'était pas une bonne idée de dire à Malcolm qu'une des choses qu'elle faisait pour Xander, c'était l'assister au moment de sa douche !

— Je fais la cuisine et je l'aide quand il en a besoin, expliqua-t-elle.

— Coucher avec lui fait partie de tes tâches ?

— Tu dis n'importe quoi !

N'empêche, elle avait bien failli sauter le pas, samedi soir. Rien que d'y penser, le rouge lui monta aux joues.

— Même si ce que tu dis sur ton statut d'employée est vrai, tu ne vas pas me faire croire que Xander Sterne a chez lui une jolie femme et qu'il n'a pas encore couché avec elle.

— Parfaitement, maintint-elle avec obstination. Et le « encore » est de trop. Je ne suis là que pour deux semaines. Le temps que son frère rentre de son voyage de noces. Tu étais présent au mariage samedi, tu dois savoir que je n'invente rien.

— Au sujet de Darius et de son voyage de noces, oui. Pour le reste…

— Je dis la vérité !

— Dans ce cas, il ne sera pas difficile de te trouver une remplaçante.

— Je ne peux pas me défiler comme ça.

Pas question de laisser tomber Andy, ni de faire

une croix sur l'argent qui allait lui permettre de régler quelques factures.

— Tu as changé, Sam, dit Malcolm en la regardant d'un air pensif. Il fut un temps où tu n'aurais même pas songé à répliquer.

— Il fut un temps où j'étais assez stupide pour me croire amoureuse de toi ! rétorqua-t-elle, consciente qu'elle ne devrait pas contrarier Malcolm mais incapable de s'en empêcher. Ce temps est révolu, et nous sommes divorcés, au cas où tu l'aurais oublié.

— Je ne m'en souviens que trop ! lança son ex avec un rictus mauvais. Je n'ai jamais aimé échouer, Sam. Et notre mariage est un échec.

— La faute à qui ? Pour commencer, je ne t'aurais jamais épousé si tu m'avais dit que tu ne voulais pas d'enfants.

Orpheline de bonne heure, Sam avait toujours voulu fonder un foyer, s'entourer d'une famille qu'elle aurait aimée et dont elle aurait été aimée en retour. Pour comble de malchance, il avait fallu qu'elle tombe sur Malcolm Howard !

Heureusement, Daisy compensait largement la souffrance et les désillusions de ces années sombres durant lesquelles elle avait été mariée à cet homme froid et despotique. Elle ferait tout pour protéger sa fille. Absolument tout.

— Je me moque du passé, déclara Malcolm. Tout ce que je sais, c'est que je te veux de nouveau dans mon lit. Je crois que tu me connais suffisamment pour savoir que j'emploierai tous les moyens pour y arriver.

Sam serra les poings. Elle était coincée. Ce salaud connaissait son point faible, savait que Daisy était son talon d'Achille. Mais, s'il croyait arriver à ses fins, il se trompait lourdement…

— Tu perds ton temps, affirma-t-elle crânement.

— Tu crois ? fit-il d'un air moqueur.

— Parfaitement !

Il pouvait toujours essayer de l'intimider, c'était peine perdue : elle ne céderait pas à son chantage.

— Et si j'insiste ?

— Insiste autant que tu veux, Malcolm, cela ne changera pas ma réponse.

— Si je comprends bien, tu préfères avoir affaire à mon avocat, dit-il en lui serrant le poignet.

— Exactement. Je n'ai plus rien à te dire. En plus, je dois partir, maintenant. Il faut que je conduise M. Sterne chez son kiné.

Il était plus que temps que cet entretien se termine. Sam avait du mal à donner le change et à contenir ses larmes, mais elle ne voulait pour rien au monde donner à cette ordure de Malcolm la satisfaction de la voir pleurer.

Il revint à la charge.

— Je t'invite à dîner ce soir, on pourra poursuivre notre discussion.

— La discussion est close, répondit-elle d'une voix tremblante, malgré ses efforts pour paraître coriace. Pas de dîner, ni ce soir ni jamais.

Il ricana doucement.

— On en reparlera, Sam, fais-moi confiance. Tu as jusqu'à la fin de la semaine. Après quoi, j'appelle mon avocat.

Sam arracha son poignet à l'étreinte de Malcolm, ouvrit la portière et sortit précipitamment de la berline. Puis, les yeux brouillés par les larmes, elle fila en direction de l'appartement de Xander.

Dès le retour de Samantha, Xander avait remarqué, à sa pâleur et à ses yeux brillants, qu'elle avait un problème. L'air absent, elle était allée se changer, troquant son

T-shirt contre une chemise rouge à manches longues, avant de le conduire chez son kiné sans dire un mot.

Elle n'avait pas été plus loquace sur le chemin du retour.

Cela ne lui ressemblait guère… Ne sachant à quoi s'en tenir, il s'assit dans la cuisine et l'observa préparer le déjeuner, toujours aussi silencieuse.

— Etes-vous toujours fâchée contre moi pour ce qui s'est passé samedi soir ? finit-il par lui demander d'un ton bourru.

Il avait passé deux nuits blanches, incapable de chasser Samantha de son esprit — Samantha qui ne lui manifestait que froideur et indifférence. Et même quand, ce matin, au moment de la douche, il n'avait pu cacher l'excitation produite par son contact, elle était restée de marbre. C'était bien la première fois qu'une femme lui manifestait aussi peu d'intérêt ! Peut-être était-il en train de perdre la main ? De quoi saper son ego déjà bien mis à mal…

— Pardon ?

Il était tellement perdu dans ses pensées qu'il en avait presque oublié sa question à Samantha, dont la voix lui fit reprendre pied avec la réalité. Elle posait sur lui un regard vide, comme si, elle aussi perdue dans son monde, elle avait oublié sa présence.

— Fâchée contre vous ? reprit-elle en secouant la tête. Pas du tout. Je n'y pensais même plus.

Mais alors, que s'était-il passé pour que Samantha soit aussi absente ? se demanda Xander.

— Vous voulez du jambon ou du fromage dans votre sandwich ? interrogea-t-elle d'une voix distraite.

— Les deux.

— Voilà, votre repas est prêt, annonça-t-elle avec brusquerie.

A son grand étonnement, Xander constata que la table était mise pour une seule personne.

— Et vous ? Vous ne mangez pas ?

— Je n'ai pas faim.

— Vous n'avez pris que du café au petit déjeuner !

— Vous aussi, vous m'espionnez ? Parce que, si c'est le cas, vous avez intérêt à arrêter. Et tout de suite !

Elle tremblait de colère, ses yeux lançaient des éclairs. Elle tourna les talons.

— Waouh, Samantha !

Xander l'attrapa par la taille pour l'empêcher de partir et l'obligea à lui faire face. Elle le défia du regard, les mâchoires crispées et la bouche… Bon sang sa bouche ! Il était fasciné par son arc parfait, son dessin sensuel, par ses lèvres pulpeuses, ses lèvres qui, gonflées par la colère sans doute, ressemblaient à deux baies bien mûres.

Pourquoi la jeune femme était-elle aussi furieuse ? Vu qu'ils n'avaient guère échangé plus de cinq phrases depuis le matin, il fallait chercher ailleurs.

— Tout à l'heure vous avez dit : « Vous aussi, vous m'espionnez ? » Pourquoi « aussi » ? Qui vous espionne, Samantha ?

De saisissement, Sam sentit sa colère retomber d'un coup. Seigneur, comment avait-elle pu se trahir aussi stupidement ? Et bien sûr, Xander était trop vif pour ne pas relever ce qui lui avait échappé malgré elle ; et sans doute trop malin pour ne pas faire le rapprochement avec l'homme de l'Hôtel Midas… De là à ce qu'il comprenne qu'il s'agissait de son ex-mari, il n'y avait qu'un pas.

Xander n'avait pas reconnu Malcolm samedi soir, et elle n'avait pas spécialement envie qu'il sache qu'elle avait été mariée à un homme comme Malcolm Howard, et encore moins qu'il la menaçait à présent.

Face à ces menaces, elle se sentait tellement impuissante, perdue, désemparée. Cependant, elle savait que pour rien au monde elle ne permettrait à Malcolm de demander un droit de visite. Pour Daisy, les répercussions psychologiques seraient désastreuses.

Que faire, alors que l'idée même d'accepter l'invitation à dîner de Malcolm la révulsait ? Sans parler de ses autres demandes…

Elle s'aperçut alors que Xander la tenait toujours par la taille.

— Voulez-vous bien me lâcher, s'il vous plaît ? demanda-t-elle en le regardant droit dans les yeux.

Il pinça les lèvres avec un air de détermination inflexible.

— Répondez à ma question, Samantha !

— Lâchez-moi immédiatement, répéta Sam tout en se dégageant d'un geste brusque.

Xander dut se retenir d'une main à la table pour éviter de perdre l'équilibre. Il réussit à attraper le poignet de Samantha de l'autre main pour l'empêcher de s'en aller. Elle laissa échapper un gémissement de douleur.

Quel cinéma ! Comme s'il avait pu lui faire mal alors qu'il l'avait à peine touchée.

— Qu'y a-t-il ? demanda Xander, interloqué.

Il lui souleva le bras, histoire de lui démontrer qu'elle n'était qu'une douillette. Dans le mouvement, il fit remonter la manche de sa chemise, ce qui découvrit le bandage qui lui entourait le poignet.

— Que vous est-il arrivé ? demanda-t-il. Vous vous êtes coupée ? Foulé le poignet ? Dites-moi ce qui s'est passé, Samantha.

— Sinon quoi ? Vous allez m'obliger à parler ? Refuser de me laisser partir jusqu'à ce que je m'exécute ?

Elle avait vu juste : Xander ne la laisserait pas quitter la cuisine avant de savoir exactement ce qui n'allait pas. Ce matin, lorsqu'elle avait préparé le petit déjeuner pour eux trois, elle était dans de souriantes dispositions. C'était seulement après avoir accompagné Daisy à l'école que son humeur s'était modifiée ; et c'était à ce moment-là qu'elle s'était changée, optant pour des manches longues... Il comprenait maintenant pourquoi.

Sans hésiter, il se mit à défaire le bandage. Samantha essaya aussitôt de retirer son bras, mais il eut le temps de voir les contusions qui marbraient son poignet. Des marques multicolores, visiblement faites par des doigts.

La colère surgit en lui, impérieuse, brutale, froide et dévastatrice.

— Samantha, qui vous a fait ça ?

Des larmes brillaient dans les yeux de la jeune femme. La lèvre inférieure agitée d'un tremblement, elle cilla à plusieurs reprises, dans un effort visible pour empêcher ses pleurs de couler.

— Je me suis...

— N'essayez pas de me mentir, l'interrompit-il d'une voix douce. Je vous garantis qu'il vaut mieux ne pas me mettre en colère.

Xander pressentait qu'il risquait de se laisser submerger par la vague de fureur noire qui électrisait ses nerfs. Il avait peur de ses réactions, peur d'être incapable de se contrôler. Cette peur qui couvait en lui depuis qu'il avait pris conscience de la rage qui l'habitait, cette peur qu'il avait essayé d'occulter ces dernières semaines, le rattrapait à présent.

Il se rendit alors compte que Samantha semblait terrorisée. Avait-elle détecté cette fureur intérieure ?

La relâchant brusquement, il s'éloigna de quelques pas.

— Qui vous a blessée ? insista-t-il.

A peine venait-il de poser cette question que l'évidence lui apparut instantanément :

— C'était lui, n'est-ce pas ? Votre ex-mari ? Vous l'avez vu ce matin lorsque vous avez conduit Daisy à l'école. Aviez-vous prévu de le rencontrer ?

— Non ! Absolument pas ! s'écria Sam avec une moue de dégoût à l'idée de passer délibérément du temps avec Malcolm.

Ses genoux se dérobèrent subitement sous elle, aussi se laissa-t-elle choir sur un tabouret.

— Samantha ?

— Laissez-moi une minute ou deux, fit-elle en lui indiquant d'un geste de la main qu'elle avait besoin de se ressaisir.

— Vous l'aimez encore ?

— Certainement pas ! s'écria-t-elle, véhémente.

Xander prit une profonde inspiration avant de continuer, afin de mettre de l'ordre dans ses idées.

— Le revoir samedi soir vous a visiblement perturbée. Il vous a physiquement malmenée ce matin, et il suffit que vous parliez de lui pour être au bord des larmes.

Il s'interrompit un instant pour scruter le visage de la jeune femme.

— Quel pouvoir a-t-il sur vous pour que vous ne lui disiez tout simplement pas d'aller au diable ?

Soudain, la lumière se fit dans son esprit :

— Daisy ! Ce salopard menace Daisy, c'est ça ?

Cette hypothèse fit croître sa fureur. Saurait-il la juguler ? Cette ordure méritait déjà le fouet pour avoir brutalisé Samantha, mais l'idée qu'il puisse s'en prendre à Daisy était tout simplement intolérable.

Il fallait faire quelque chose !

— Samantha ?

— Oui ? fit-elle en levant la tête vers lui.

— Voilà, je…

Il hésita, conscient qu'il s'apprêtait à faire un grand saut dans l'inconnu, conscient également qu'il n'avait pas le choix s'il voulait que la jeune femme lui accorde sa confiance.

Il n'avait jamais raconté à personne qu'il avait été victime de maltraitance durant son enfance ; or, s'il voulait que Samantha lui dise ce qui s'était passé, il devait faire le premier pas.

— Jusqu'à l'âge de douze ans, j'ai vécu avec un père qui me battait comme plâtre, dit-il d'une traite.

Samantha battit des paupières à deux ou trois reprises, comme si elle avait du mal à intégrer ce qu'il venait de lui dire. Sans doute parce que cette révélation collait mal avec l'image du play-boy milliardaire que les médias donnaient de lui. Une image qui l'arrangeait bien car, derrière elle, il avait tout le loisir de dissimuler sa vulnérabilité.

— Darius aussi ? finit-elle par demander d'une voix sourde.

Sam vit le grand corps musclé de Xander se crisper.

— Non, moi seul.

Elle se passa le bout de la langue sur ses lèvres sèches.

— Que s'est-il passé quand vous avez eu douze ans ?

— Mon père est mort.

Elle déglutit.

— Comment ?

— Peu après m'avoir envoyé à l'hôpital avec un bras cassé et de multiples contusions, mon père s'est rompu le cou en tombant dans l'escalier. Il était ivre mort.

— Je ne me souviens pas avoir lu quoi que ce soit à ce sujet lorsque…

Elle se mordit la lèvre : quelle idiote !

— Lorsque vous avez cherché sur Internet des informations sur votre futur employeur ? C'est normal. Les médias n'en ont pas parlé. Personne, en dehors de ma famille, n'était au courant des mauvais traitements que je subissais. Quant à l'accident, on s'est arrangés pour qu'il ne fasse pas l'objet d'une couverture médiatique.

Sam n'en revenait pas. Jamais elle n'aurait imaginé que cet homme ait pu avoir une enfance aussi terrible.

Heureusement, l'homme sûr de lui qu'il était devenu, l'affection qu'il prodiguait à Daisy, l'empathie qu'il venait de lui manifester prouvaient qu'il avait surmonté les blessures de l'enfance.

— Samantha, je ne vous ai pas raconté ça pour vous faire pitié.

— Vous n'avez pas besoin de le préciser, mais je serais vraiment sans cœur si ce que vous venez de m'apprendre me laissait de marbre.

Certes. Mais ce n'était pas de la compassion que Xander attendait d'elle. S'il avait parlé de son père à Samantha, c'était dans le but de la mettre en confiance, afin de lui faire comprendre qu'elle pouvait lui confier ses propres secrets, tout comme il lui avait confié les siens. Et Dieu sait qu'il avait dû se faire violence, lui qui ne parlait jamais de sa vie privée en dehors de sa famille !

Ce qui était étrange, c'était qu'il avait agi ainsi uniquement pour aider Samantha mais se sentait subitement plus libre, plus léger, comme si un poids énorme lui avait été ôté des épaules.

Et du cœur...

8.

Si Xander s'était confié à Samantha sur son enfance, il n'avait pas abordé ce qui le tracassait depuis quelques semaines.

Au point où il en était de ses confessions, se dit-il, autant aller jusqu'au bout.

— Peut-être verriez-vous tout cela d'un autre œil, reprit-il au bout d'un moment, si je vous disais que, depuis quelques mois, je me demande si je ne ressemble pas à mon père.

— C'est complètement ridicule ! s'écria-t-elle spontanément d'un ton catégorique.

— Qu'est-ce qui vous fait dire ça ?

— Je ne vous connais peut-être pas depuis longtemps, Xander, mais je vous connais cependant suffisamment bien pour être en mesure de voir que vous êtes totalement incapable de faire du mal à une femme ou un enfant. Vous n'étiez pas particulièrement ravi de nous avoir chez vous, ma fille et moi, et pourtant vous avez fait preuve d'une gentillesse incroyable à notre égard. Au point que Daisy vous adore.

Ce disant, elle s'approcha de lui et posa la main sur son torse.

— C'est un cœur en or que vous avez là, Xander Sterne. Un cœur fait pour protéger, pas pour détruire.

Il resta bouche bée, quelque peu incrédule mais surtout troublé par la tiédeur de sa main sur son torse.

— Vous croyez vraiment ce que vous dites ?

— Absolument, affirma Sam.

Même après seulement quelques jours en sa compagnie, elle savait que sa crainte initiale qu'il soit égoïste et tyrannique comme Malcolm n'était pas fondée. Xander était arrogant et sûr de lui, bougon aussi, ce qui n'était pas étonnant étant donné sa situation et la douleur causée par sa jambe. Mais une chose était sûre, il était généreux, comme le prouvait la sollicitude qu'il leur avait manifestée, à Daisy et à elle ; et il était totalement incapable de brutaliser une femme ou un enfant sous l'effet de la colère.

— Ce n'est pas parce qu'on a les gènes de ses parents, poursuivit-elle, qu'on se conduit obligatoirement comme eux. En tout cas, votre comportement n'a rien à voir avec celui de votre père tel que vous me l'avez décrit.

Elle changea brusquement d'expression.

— Votre accident de voiture, c'était il y a six semaines ?

— Pardon ?

— Vous avez dit que vous vous demandiez depuis quelques mois si vous pouviez ou non ressembler à votre père, n'est-ce pas ? Cet accident aurait-il quelque chose à voir avec ça ?

Xander soupira. A n'en pas douter, elle était fine mouche…

— Cela faisait plusieurs semaines que je ressassais mes craintes. Le soir de l'accident, dans la boîte de nuit de l'Hôtel Midas, j'ai vu un homme houspiller et humilier la femme qui l'accompagnait. Et j'ai eu une envie folle de lui faire mordre la poussière.

— Une réaction parfaitement compréhensible. J'aurais

réagi de la même façon, assura-t-elle avec véhémence. Vous lui avez cassé la figure ?

— Non. J'étais à deux doigts de le faire mais j'ai réussi à me contrôler.

— Ce qui est bien la preuve que vous n'avez rien de commun avec votre père, vous ne croyez pas ? affirma Samantha avec un sourire d'encouragement.

Xander la dévisagea durant quelques secondes, puis s'autorisa un sourire.

— Merci, Samantha. Je vous suis infiniment reconnaissant, après tout ce que je viens de vous raconter.

La confiance qu'elle lui manifestait lui faisait un bien fou. A présent, il s'agissait qu'elle aussi s'ouvre à lui.

— J'aimerais vous aider à mon tour. Vous avez des amis sur qui compter, vous savez, déclara-t-il d'une voix douce. Andy et Darius. Plus moi, maintenant.

Sam ouvrit de grands yeux. Xander, son ami ? Bien sûr, il s'était attaché à Daisy durant ces quatre jours, mais les choses étaient si tendues entre eux deux depuis samedi soir que Sam était sûre qu'il devait compter les jours avant son départ.

Néanmoins, sa sollicitude et les confidences qu'il venait de lui faire avaient certainement comblé le fossé qui s'était creusé entre eux depuis leur fameux baiser.

— Que vous a dit votre ex-mari ce matin ?

— Eh bien, répondit-elle après avoir pris une profonde inspiration, pour commencer il n'apprécie visiblement pas que Daisy et moi restions dans votre appartement, même temporairement.

— Ça lui fera les pieds, grommela-t-il. Quoi d'autre ?

— Il voulait que je dîne avec lui ce soir.

Xander resta silencieux quelques secondes.

— Et vous allez accepter son invitation ? finit-il par demander.

— J'ai déjà refusé, fit-elle avec un sourire forcé. Et il s'agissait plus d'une menace que d'une invitation.

— Que veut-il d'autre ? demanda-t-il d'une voix rauque.

Il le devinait, bien sûr, mais avait besoin de se l'entendre confirmer. Samantha était une femme incroyablement belle, affectueuse et généreuse. Quel homme sensé l'aurait laissée partir ?

— Il veut que je devienne sa maîtresse, répondit-elle, les yeux baissés.

Xander avait beau s'attendre à cette réponse, il lui fallut un temps avant de pouvoir prendre la parole.

— Et quel genre de représailles compte-t-il exercer si vous n'êtes pas d'accord ?

— Il m'a dit qu'il demanderait un droit de visite pour Daisy, expliqua-t-elle en blêmissant, la voix vibrant d'émotion. Ce que je ne peux même pas concevoir. Premièrement, Malcolm n'a jamais voulu cet enfant. Et même après sa naissance, il faisait comme si elle n'existait pas quand nous vivions avec lui. Il avait imposé toutes sortes de règles ridicules pour ne pas subir sa présence. Deuxièmement, il n'a jamais cherché à la voir depuis que nous sommes parties.

Xander serra les poings, tendu à l'extrême. Quel homme, quel père pouvait se conduire de la sorte ? Il comprenait à présent pourquoi Daisy ne voyait jamais son père, et pourquoi Samantha était opposée à l'éventualité qu'il puisse obtenir un droit de visite.

Il comprenait également pourquoi Samantha avait si mal réagi lorsqu'il avait énuméré les règles qu'il souhaitait voir respectées le soir où Daisy et elle étaient arrivées.

En tout cas, il était hors de question qu'il laisse l'ex-mari de la jeune femme la brutaliser et lui faire du chantage pour arriver à ses fins. Pour la forcer à coucher avec lui. Bon sang, quel genre de type était son ex ?

— Qui est-il exactement ? Vous m'avez déjà dit qu'il ne s'appelait pas Smith, quel est son nom ?

— Howard. Il s'appelle Howard.

Xander plissa les yeux pour mieux se concentrer. Ce nom lui disait quelque chose…

— Howard… Malcolm Howard ? D'Howard Electronics ?

Il ne le connaissait que de réputation, et ce qu'il savait de lui était limité à la sphère professionnelle. Concernant sa vie privée, il avait entendu dire qu'il avait été marié mais que son mariage n'avait pas duré. En revanche, il n'avait jamais entendu parler d'un enfant issu de ce mariage. Malcolm Howard n'avait de toute évidence jamais mentionné à qui que ce soit qu'il avait une fille.

Samantha posa sur lui un regard timide.

— Vous le connaissez ?

— Pas personnellement, répondit Xander en secouant la tête. Je crois juste me souvenir qu'il est un des membres VIP de la boîte de nuit du Midas.

Un privilège qu'il allait s'empresser de lui supprimer à la première occasion…

— Darius le connaît bien mieux que moi, ajouta-t-il. Ce qui explique sa présence à l'hôtel samedi : il faisait partie des invités de Darius et Miranda.

— Oui.

— Je suis sûr que Darius n'a pas la moindre idée du genre d'homme qu'il est. Vous saviez qu'il se trouvait au mariage ? Non, bien sûr. Si vous l'aviez su, vous vous seriez arrangée pour partir avant son arrivée. Peut-être même que vous n'auriez pas assisté au mariage.

— En effet.

— Que vous a-t-il fait subir lorsque vous étiez mariés ? demanda-t-il avec douceur.

Sam le regarda pendant quelques secondes sans pouvoir articuler un seul mot, puis baissa les yeux sur son poignet bandé.

— La cruauté émotionnelle peut être aussi dévastatrice que la violence physique, lâcha-t-elle dans un murmure.

Xander hocha la tête. Il était bien placé pour le savoir. Si lui avait souffert de maltraitance, il avait été témoin de la violence psychologique que son père infligeait à sa mère et son frère.

— Malcolm Howard est un homme très riche et pourtant, Daisy et vous...

Il s'interrompit, gêné.

— Et pourtant, nous vivons dans un deux pièces et je fais des petits boulots pour boucler mes fins de mois.

Visiblement, Samantha n'avait aucune honte à parler de sa situation précaire, s'étonna Xander.

— Oui.

— Vous en savez déjà beaucoup, continua-t-elle avec un sourire désabusé, alors autant tout vous raconter. Malcolm m'a proposé un marché au moment du divorce : une somme dérisoire versée chaque mois pour élever Daisy, aucune prestation compensatoire pour moi, la restitution de tous les bijoux et cadeaux qu'il m'avait donnés, en échange de quoi il m'accordait la garde exclusive de Daisy.

Xander n'avait jamais rien entendu d'aussi diabolique. C'était tout simplement écœurant. Malcolm Howard était riche à millions, mais il avait rechigné à accorder à sa femme la somme minimale destinée à subvenir aux besoins de leur fille ? Incroyable ! Et c'était un marché sur lequel il menaçait de revenir si Samantha refusait de devenir sa maîtresse...

— Est-ce que vous me faites confiance, Samantha, demanda-t-il, déterminé.

— Pour faire quoi ?

— Pour vous aider, Daisy et vous.

Et faire souffrir Malcolm Howard autant qu'il les avait fait souffrir par le passé et les faisait souffrir maintenant...

**
**

Sam se frotta pensivement la joue, perplexe et troublée. Faisait-elle confiance à Xander? Echaudée par son expérience malheureuse avec Malcolm, il y avait bien longtemps qu'elle n'avait fait confiance à quelqu'un.

Xander dut constater que sa proposition la désorientait car il reprit, insistant :

— Ne pensez pas au passé pour l'instant, Samantha. Demandez-vous si vous pouvez vous fier à moi pour trouver un moyen de vous libérer une fois pour toutes, Daisy et vous, de l'emprise de votre ex-mari.

Devait-elle accepter l'aide de Xander? Elle en avait envie, bien sûr, mais serait-ce *raisonnable*? Elle ne le connaissait guère, et il était son employeur — même si il avait utilisé le terme d'« ami ». Toutefois, avait-elle un autre choix quand, une fois de plus, les menaces de Malcolm pesaient sur son avenir et celui de Daisy?

— Pourquoi voudriez-vous nous aider? demanda-t-elle après s'être humecté les lèvres. Ce n'est pas votre problème.

— J'en fais mon problème.

Sam fronça les sourcils, étonnée.

— Vous êtes un loup déguisé en agneau, c'est ça? Cette description le fit sourire.

— En fait, je suis plutôt un loup déguisé en loup. Mais même les loups ont un cœur, Samantha. De plus, pour des raisons évidentes, je vomis les brutes. Alors, me laisserez-vous vous aider?

Elle essaya de peser le pour et le contre, malgré le tourbillon de sentiments contradictoires qui l'habitait. Finalement, elle acquiesça d'un signe de tête.

— Il m'a donné jusqu'à la fin de la semaine pour prendre ma décision.

— Et magnanime avec ça! ironisa Xander, cynique.

— Il en est persuadé, c'est sûr.

— D'ici là, j'aurai trouvé une solution, assura-t-il, une expression résolue sur les traits. Alors ?

— Alors oui, consentit-elle d'une voix sourde. J'accepte volontiers votre aide.

— Parfait !

Les quatre jours qui suivirent son approbation à la proposition de Xander, Sam vécut dans l'angoisse de l'attente. Malcolm lui avait donné jusqu'à la fin de la semaine pour prendre sa décision et elle ne le connaissait que trop pour savoir que ses menaces n'étaient pas à prendre à la légère. Elle craignait chaque jour de le trouver en train d'attendre devant l'école de Daisy.

Et son inquiétude ne faisait qu'augmenter à mesure que les jours passaient sans que Malcolm se manifeste.

Lorsqu'elle avait fait part de ses craintes à Xander, deux jours plus tôt, il lui avait assuré qu'il contrôlait la situation, ajoutant qu'il aurait des nouvelles positives à lui annoncer avant la fin de la semaine.

Il devait cependant redouter lui aussi que Malcolm ne vienne de nouveau devant l'école car il avait insisté pour faire tous les jours le trajet avec Daisy et elle ; ce qui l'avait un peu rassurée.

Cela n'était pas sans causer un souci supplémentaire à Sam : que sa fille en vienne à trop s'attacher à Xander. Depuis que celui-ci avait décidé de manger dans la cuisine, ils prenaient désormais tous leurs repas ensemble.

Et c'était visiblement Xander que Daisy avait le plus de plaisir de retrouver en sortant de l'école, et lui aussi à qui elle demandait de lui lire une histoire avant d'aller au lit.

C'était d'ailleurs ce qu'il était en train de faire en ce vendredi soir, pendant que Sam rangeait la cuisine après le dîner. Et les questions se bousculaient dans sa tête.

Comment sa petite fille réagirait-elle dans une

semaine, lorsqu'elles devraient quitter l'appartement ? Nul doute que la séparation serait douloureuse, comme elle le serait pour elle-même.

Depuis leurs mutuelles confidences, de nouveaux liens s'étaient tissés entre Xander et elle. La camaraderie tacite qui les unissait, couplée à l'attirance physique qu'elle éprouvait, n'avait fait que renforcer son inclination pour lui.

Quant à lui, il gardait ses distances, même s'il ne réussissait pas à cacher son désir physique chaque fois qu'elle l'aidait au moment de la douche. Cependant, il n'avait pas une seule fois essayé de l'embrasser de nouveau. Il respectait les limites qu'elle avait elle-même imposées — et pourtant, s'il savait combien elle rêvait d'être dans ses bras…

— Tout va bien ? entendit-elle soudain derrière elle.

De saisissement, elle faillit lâcher l'assiette qu'elle s'apprêtait à mettre dans le lave-vaisselle.

Tout à ses pensées, elle n'avait pas entendu Xander entrer dans la cuisine. Son ouïe n'était pas devenue défectueuse mais les séances quotidiennes de kinésithérapie portaient leurs fruits : depuis la veille, Xander n'avait plus besoin de béquilles, et l'embout caoutchouté de sa canne rendait ses déplacements silencieux.

— J'étais en train de me demander ce que Daisy et moi pourrions faire ce week-end, dit-elle en se redressant.

— C'est drôle, c'était justement ce dont nous étions en train de parler. Daisy aimerait aller au cinéma avec nous demain, puis à la piscine.

Tout un week-end avec Xander ? s'affola Sam. Des heures et des heures à cacher les sentiments de plus en plus forts qu'elle avait pour lui ? Que d'efforts il lui faudrait déployer pour donner le change !

— J'apprécie vraiment le temps que vous avez consacré à Daisy et la gentillesse que vous lui avez témoignée cette semaine, commença-t-elle.

— Mais ? demanda-t-il en haussant le sourcil.

— Mais peut-être ne devriez-vous pas passer autant de temps avec elle. Daisy ne doit pas trop s'attacher à vous. Nous partons à la fin de la semaine et…

— … et vous pensez que je vais l'oublier, c'est ça ? Vous avez dit que vous me faisiez confiance, Samantha, ajouta-t-il d'un air triste.

— Mais je vous fais confiance ! s'écria Sam. C'est juste que…

Elle s'interrompit pour retrouver un peu de calme.

— J'apprécie le temps que vous avez passé avec Daisy, vous pouvez me croire, reprit-elle. Seulement, je sais que pour le moment vous êtes encore handicapé et que vous ne pouvez faire les choses que vous faites habituellement. Que ce doit être ennuyeux et frustrant pour vous d'être cloîtré toute la journée dans cet appartement. Mais vos progrès sont rapides et une fois complètement rétabli, vous voudrez de toute évidence reprendre votre vie de tous les jours. Alors…

— Alors, coupa-t-il, je n'aurai plus de temps à consacrer à Daisy, c'est ce que vous êtes en train de dire ?

Xander prit alors conscience que, depuis leurs confidences mutuelles, ils n'avaient plus abordé de sujets touchant à leur vie privée. Donc comment Samantha aurait-elle pu deviner qu'il s'était vraiment attaché à Daisy ? Pour elle-même, bien sûr, mais aussi parce qu'elle était une version miniature de sa mère.

Comment aurait-elle pu deviner également qu'il était chaque jour plus épris d'elle, et qu'il ne s'agissait pas d'une simple attirance sexuelle ?

Que Samantha l'accuse plus ou moins à présent d'utiliser Daisy comme diversion à son *ennui* et insinue qu'il les oublierait toutes les deux dès qu'il serait en état de reprendre sa vie d'avant ne faisait que remuer le couteau dans la plaie.

Les confidences qu'il lui avait faites au sujet de son père ne signifiaient-elles rien pour elle ? Et qu'en était-il de la confiance qu'elle lui avait accordée en acceptant son aide ?

— Eh bien, merci pour votre franchise, Samantha, fit-il d'un ton désabusé. Ravi de savoir que vous me trouvez insensible et superficiel !

Sur quoi il tourna brusquement les talons.

Xander s'était réfugié dans son bureau. Entre autres pour éviter de dire quelque chose qu'il risquerait de regretter.

Comme par exemple qu'en dépit de ses réserves initiales il se réjouissait d'avoir Samantha et Daisy avec lui, et qu'il appréciait vraiment leur compagnie.

Qu'il se réveillait chaque matin avec le sourire à l'idée de passer la journée avec elles.

Qu'il avait le sentiment que son appartement serait triste à mourir après leur départ.

Que le fait d'avoir parlé à Samantha de son enfance, alors qu'il n'avait jamais abordé ce sujet avec personne en dehors de sa proche famille, était la preuve qu'elle était loin de lui être indifférente.

Toutes ces choses étaient si importantes pour lui qu'il avait délibérément choisi de juguler son désir par crainte de gâcher la paisible existence que tous les trois menaient maintenant.

Peut-être avait-il besoin de sortir un moment, loin de Samantha et de Daisy ?

Cette semaine, son assistant était venu à 9 h 30 tous les matins pour régler avec lui les affaires urgentes et décider de celles qui pouvaient attendre le retour de

Darius, ou dont il s'occuperait lui-même lorsqu'il aurait repris le chemin du bureau.

Mais cela faisait des semaines qu'il n'était sorti de chez lui pour voir du monde, sauf pour assister au mariage de son frère le week-end précédent. Pourquoi n'irait-il pas faire un tour à la boîte de nuit du Midas pour se changer les idées ?

Il en était là de ses réflexions lorsqu'il entendit cogner à la porte.

Cela ne pouvait être que Samantha, à laquelle il lança un sonore : « Entrez ! »

Dieu qu'elle était belle avec ses boucles flamboyantes qui cascadaient le long de ses épaules, et son visage légèrement rougi à force de s'être affairée en cuisine ! Ses ravissants petits seins ronds saillaient sous sa chemise ajustée et son pantalon moulant soulignait ses courbes délicieusement féminines.

Le corps de Xander réagit instantanément, l'obligeant à rester derrière son bureau.

— Qu'y a-t-il, Samantha ? demanda-t-il avec douceur.

— Je voulais m'excuser. Je n'avais pas l'intention d'insinuer que… Je sais que Daisy compte pour vous… je ne veux simplement pas…, bégaya-t-elle. Jamais je ne me permettrais de vous offenser délibérément.

— Seulement indirectement, dit Xander d'une voix traînante en haussant les épaules. Mais ce n'est pas grave. Votre inquiétude était sans doute fondée. Je suis essentiellement superficiel et insensible.

— Je n'ai pas dit ça.

— En effet, c'est moi qui l'ai dit.

— Ne nous disputons pas, Xander, implora-t-elle, les yeux brillant de larmes. Cette histoire avec Malcolm m'a perturbée. Tout ce que je vous ai dit tout à l'heure, ce n'était certainement pas dans le but de vous froisser.

Comme s'il ne le savait pas. Samantha n'était pas du genre à vexer ou blesser quelqu'un sciemment. Elle était douce, aimable, et s'était dès le début montrée patiente et compréhensive en dépit de la mauvaise humeur qu'il avait manifestée. Sans parler de la merveilleuse mère qu'elle était pour Daisy.

Il prit une profonde inspiration.

— Vous êtes tendue et préoccupée à cause de votre ex, et j'aurais probablement dû vous mettre au courant de mes démarches plus tôt. Alors voilà, après avoir mené une enquête approfondie sur Malcolm Howard, j'ai décidé de le frapper là où ça fait mal, à savoir ses affaires. En fait, j'ai déjà mis mes plans à exécution.

Samantha se mit la main devant la bouche, l'air horrifié. Il lui adressa un sourire rassurant.

— Ne prenez pas cet air inquiet. Quand j'en aurai fini avec lui, Howard se mordra les doigts de vous avoir de nouveau adressé la parole, et surtout de vous avoir menacée en se servant de Daisy.

— Qu'allez-vous faire ? demanda-t-elle d'une voix inquiète en fronçant les sourcils.

Son érection ayant disparu, Xander se leva.

— Qu'est-ce que je suis *en train* de faire ? corrigea-t-il avec un sourire. L'entreprise Howard Electronics va bientôt rencontrer un grave problème au sujet du prêt qu'elle a sollicité auprès de sa banque, ce qui compromettra sérieusement leurs projets d'implantation au Japon.

Xander avait également annulé l'adhésion de Malcolm Howard au club de l'Hôtel Midas dès le lendemain de sa discussion avec Samantha, histoire de faire savoir à l'autre abruti d'où venaient ses problèmes. De là à ce qu'il découvre que Xander était également à l'origine de sa difficulté à obtenir un prêt, il n'y avait qu'un pas — une manœuvre délibérée dans le but de devenir la cible d'Howard à la place de Samantha ou Daisy.

— Vous pouvez faire tout ça ? demanda Samantha en le regardant d'un air circonspect.

Il lui adressa un sourire satisfait.

— Oui, dans la mesure où j'ai un intérêt financier dans la banque où Howard est client. En ce moment, il est en train de courir dans tous les sens pour obtenir un prêt auprès d'un autre établissement.

— Et que se passera-t-il quand il aura fini de courir dans tous les sens ?

— D'ici là, mon avocat l'aura contacté pour lui proposer, en échange d'un prêt à faible taux d'intérêt garanti par moi, de signer un contrat par lequel il s'engage à ne plus jamais s'approcher de Daisy ou de vous. Il faut régler ça une fois pour toutes, insista-t-il en remarquant que la jeune femme semblait toujours aussi soucieuse.

— Et s'il n'est pas d'accord ?

— Il le sera.

Dans le cas contraire, Xander n'aurait aucun scrupule à le couler complètement.

Samantha secoua la tête.

— Je ne peux pas vous laisser faire ça.

— C'est déjà fait.

Sam n'en croyait pas ses oreilles. Ahurissant ! Incroyable ! Elle savait Xander extrêmement riche, mais il semblait être encore plus puissant qu'elle ne l'avait imaginé. Et jamais elle n'aurait cru qu'il puisse aller aussi loin pour Daisy et elle…

— Je ne le laisserai pas vous faire du mal une nouvelle fois, déclara-t-il.

Son cœur débordait de gratitude, mais aussi d'amour. Une telle sollicitude de la part de Xander ne faisait que renforcer le sentiment, plus fort de jour en jour, qu'elle éprouvait pour lui, et qui allait au-delà de la simple attraction physique.

Un sentiment qu'elle allait devoir réprimer, comme elle avait réprimé toute la semaine son attirance pour lui, en évitant autant que possible de se retrouver seule en sa compagnie et en bannissant les conversations trop personnelles.

Feindre l'indifférence lui demandait un effort de tous les instants. Surtout au moment de sa douche, qui était une torture mais aussi un plaisir. Comment rester de glace devant son corps ferme et bronzé ? Ses larges épaules musclées qu'elle brûlait de toucher ? Son torse mince et puissant ? Comment rester de glace devant la manifestation flagrante de son désir ?

Certes, elle n'était pas dupe : les pulsions sexuelles de Xander étaient à mettre sur le compte des semaines d'une abstinence à laquelle le condamnait son immobilisation. Il devait être tellement frustré que n'importe quelle femme aurait pu déclencher ce genre de réaction…

La légère fébrilité de Samantha, la lueur dans ses yeux, ses joues rosies et le silence tendu qui s'était installé entre eux n'avaient pas échappé à Xander.

— Samantha ? chuchota-t-il comme une invitation.

— Il faut que je retourne à la cuisine, déclara-t-elle précipitamment.

— Je croyais que vous en aviez terminé pour la soirée.

Elle parut désorientée.

— Je… Pas tout à fait. Je… Je vais vous laisser continuer ce que vous faisiez lorsque je vous ai interrompu, bredouilla-t-elle.

Il haussa les épaules.

— J'étais juste en train de me dire que ça me ferait du bien d'aller faire un tour.

— Ah bon ? fit-elle en levant des yeux étonnés.

— Au club. Mais j'aimerais bien mieux rester ici. Avec vous.

Elle baissa les paupières et cilla à plusieurs reprises.

— Vraiment ?

— Regardez-moi, Samantha.

Elle secoua lentement la tête.

— Pourquoi ? fit-elle, presque inaudible.

Elle leva les yeux vers lui puis les détourna brusquement. Nul doute qu'elle avait lu dans son regard le désir qu'il ne cherchait plus à dissimuler. Après une semaine à lutter contre sa libido, il ne pouvait plus se retenir. Il avait tellement envie de Samantha, là, tout de suite, qu'il était incapable de réfléchir.

— Ce n'est pas une bonne idée, Xander.

— Au diable les bonnes idées !

Sans plus attendre, il s'avança vers elle et l'attira contre lui.

— Non, il ne faut pas, dit-elle d'un ton suppliant en posant les mains sur ses épaules pour le repousser.

— Vous voulez vraiment que j'arrête ? murmura-t-il d'une voix gutturale.

Non, Sam n'avait pas envie qu'il arrête, même si elle savait qu'elle ne devrait pas laisser les choses aller plus loin. Mais cela faisait si longtemps qu'un homme ne l'avait touchée de la sorte. Avec autant de douceur.

Comme le week-end précédent, son corps affamé la trahit. Ses seins gonflèrent et leurs pointes se dressèrent, dures comme des pierres, tandis qu'une douce chaleur embrasait le creux de son ventre.

L'odeur de Xander l'enivrait, une odeur de mâle où une fragrance d'eau de toilette légèrement épicée se mêlait à celle de son shampooing au citron.

Oui, c'était cela qu'elle voulait. Sentir Xander contre son corps tendu comme un arc, se griser de son odeur. Pour les regrets, elle verrait plus tard.

Car, des regrets, il y en aurait.

A commencer par celui de n'avoir été pour lui rien

de plus qu'une aventure d'une seule nuit, ou de deux si elle avait de la chance.

Pourtant, les autres femmes couchaient avec des hommes uniquement pour le plaisir ; alors, pourquoi pas elle ?

Xander n'avait pas besoin de lui jurer un amour éternel pour se conduire en amant prévenant et attentionné — un amant dont elle savait qu'il était capable de lui donner du plaisir. Pas plus qu'elle n'avait besoin d'être amoureuse de lui pour lui en donner en retour.

Allez, lâche-toi, Sam. Prends ce qu'il offre, tu penseras aux conséquences plus tard.

Pourtant, il y avait des conséquences qu'elle devait prendre en considération immédiatement.

— Je n'ai aucun moyen de contraception, le prévint-elle en le regardant bien en face.

Une lueur de triomphe s'alluma dans les yeux de Xander. Elle comprit que pour lui sa mise en garde était une façon de lui signifier sa capitulation…

— Ne vous en faites pas, la rassura-t-il.

Quelle gourde ! se morigéna Sam. Bien sûr que Xander devait avoir une réserve de préservatifs dans le tiroir de sa table de nuit. Après tout, ne lui fallait-il pas être toujours prêt quand il ramenait une maîtresse chez lui ?

Elle hésita de nouveau : pouvait-elle vraiment s'accorder une partie de jambes en l'air torride et vide de sens avec un homme comme Xander, juste pour le plaisir ?

Oui, décida-t-elle farouchement. *Carpe diem.*

9.

Sam leva un regard timide vers Xander.

— Votre chambre ou la mienne?

Il desserra son étreinte avec un sourire charmeur avant de la prendre par la main.

— C'est dans *ma* chambre qu'il y a des préservatifs, indiqua-t-il, espiègle.

Elle ne put s'empêcher de rougir.

Quand ils entrèrent dans la chambre, Xander alluma une lampe de chevet, qui éclaira la pièce d'une douce lumière. Au centre trônait l'imposant lit à baldaquin en acajou, recouvert d'un dessus-de-lit en soie crème et d'une profusion de coussins du même tissu et de courtines assorties.

— Cesse de trop réfléchir, lui murmura Xander.

Il n'avait aucun mal à deviner les pensées de la jeune femme, et n'ignorait pas qu'il serait son premier amant depuis son mari.

— Tout ira bien, ajouta-t-il d'une voix douce en caressant du pouce la courbe délicieuse de sa lèvre inférieure.

— C'est que... je ne voudrais pas vous décevoir.

— Moi non plus.

— Vous, il n'y a pas de raison!

— L'expérience ne fait pas tout. L'essentiel, c'est d'être à l'écoute pour découvrir ce qui fait plaisir à son partenaire, et donner est aussi important que recevoir.

Ce que je veux, c'est te satisfaire. Sens à quel point j'ai envie de toi, ajouta-t-il d'une voix rauque en plaçant une des mains de Samantha sur son jean, contre son sexe en érection.

En proie à une excitation fébrile, Xander entraîna la jeune femme vers le lit. Puis, après s'être assis sur le bord, il l'attira entre ses cuisses et, plongeant son regard dans le sien, il se mit à déboutonner son chemisier et dévoila son soutien-gorge en dentelle et satin blanc.

— Tu es si belle, murmura-t-il en effleurant l'arrondi de ses seins, ébloui par la pâleur de sa peau nacrée. Tellement belle.

Ses doigts descendirent le long du buste de Samantha, puis il referma les bras sur sa taille menue en enfouissant le visage dans la douce chaleur de sa poitrine.

Ensuite, il recula légèrement et dégrafa son soutien-gorge, avant de le laisser tomber sur la moquette. A la vue de ses seins nus, il ne put retenir un frémissement.

— J'adore ton tatouage, chuchota-t-il en caressant doucement l'aigle aux ailes déployées. Il est presque aussi beau que toi.

Les mains sur les épaules de Xander, Sam retenait son souffle, éperdue de bonheur, savourant cette délicieuse intimité. Sous son regard de braise, les seins offerts comme un cadeau, elle se sentait en effet belle. Quand les lèvres de Xander se posèrent sur un de ses mamelons, elle eut l'impression que sa respiration s'arrêtait et poussa un gémissement.

— Oui, murmura-t-elle dans un souffle en agrippant son amant par les cheveux.

Comme électrisé, il prit en bouche le téton turgescent, puis sa langue se mit à virevolter autour tandis qu'il prenait l'autre sein dans le creux de sa main et en malaxait le bout entre le pouce et l'index.

Sam se cambra sous ses caresses. Le feu qui consumait son bas-ventre se répandait dans tout son corps. Quand Xander se renversa contre les coussins et qu'elle se retrouva à cheval sur lui, elle laissa échapper un petit cri en sentant entre ses cuisses son membre durci.

Arc-boutée contre Xander, qui imprimait à son corps un mouvement de va-et-vient sur son érection, Sam laissait le plaisir monter en elle, une vague brûlante qui la faisait haleter, la tête rejetée en arrière, les yeux fermés.

Tout à coup, son compagnon redoubla d'ardeur, embrassant et caressant ses seins, tour à tour mordillant, léchant, suçant ses tétons durcis, jusqu'à ce que le plaisir la submerge, déclenchant un orgasme comme elle n'en avait jamais eu.

Le souffle court, elle s'effondra sur le torse de Xander, qui referma les bras sur elle. Sam resta contre lui, pantelante, le corps encore parcouru de spasmes.

— Samantha, ça va ? finit-il par demander.

Si ça allait ? Jamais elle ne s'était sentie aussi bien ! En fait, elle était *libérée*. Elle avait découvert une liberté qu'elle n'avait jamais connue avant.

Avant Xander.

Elle s'assit et le contempla avec volupté. Un frisson de triomphe la parcourut en remarquant l'érection visible sous la toile de son pantalon. Elle leva les yeux vers lui : son regard était luisant de sensualité.

Sans le quitter des yeux, elle glissa le long de son corps, s'agenouilla entre ses cuisses et entreprit de déboutonner son jean, qu'elle retira ensuite délicatement pour ne pas lui faire mal à la jambe.

N'y tenant plus, elle ôta prestement le reste de ses propres vêtements, avant de promener les doigts le long des jambes musclées de Xander. Elle s'arrêta sur la cicatrice légèrement rougie de sa cuisse gauche, qu'elle effleura avec tendresse. Puis ses mains remontèrent pour caresser son sexe dur à travers le tissu de son slip noir.

— Enlève-le, ordonna-t-il. J'ai envie de sentir tes mains nues.

Sam s'exécuta, incapable de détacher les yeux du membre palpitant.

— Touche-moi, Samantha, implora-t-il d'une voix rauque.

Xander baissa les paupières dans un gémissement lorsque Samantha referma les doigts sur son phallus.

— Oui, comme ça, dit-il dans un souffle.

Elle se pencha alors pour le prendre dans la chaleur de sa bouche. Puis elle entreprit de le lécher à petits coups rapides, décuplant son excitation. Ivre de volupté sous les assauts de cette langue habile, Xander était au bord de la jouissance. Il ne pourrait pas tenir longtemps ; il fallait qu'elle arrête.

Il prit doucement Samantha par les épaules et la fit remonter jusqu'à son visage.

— Pas comme ça. Je veux être en toi.

Il tendit la main vers le tiroir de la table de nuit pour prendre un préservatif.

— Laisse-moi faire, proposa Samantha d'une voix sourde.

Elle s'empara du préservatif, qu'elle déroula sur son sexe tendu à lui faire mal. Le contact de ses doigts caressants le plongea dans une nouvelle et délicieuse torture. Comment arriverait-il à faire durer le plaisir, une fois en elle jusqu'à la garde ? En espérant qu'il ne jouisse pas avant !

— Viens sur moi. Maintenant. Je ne peux plus attendre, murmura-t-il.

Il agrippa sa maîtresse par les hanches avant de la pénétrer lentement. Il sut aussitôt que la bataille était perdue d'avance.

— Pardonne-moi, Samantha, je suis trop excité. La prochaine fois. La prochaine fois, je te promets, je tiendrai plus longtemps.

Sam agrippa les épaules de son amant et le chevaucha en cadence au rythme de ses coups de reins, ivre de volupté, grisée par l'intensité du désir qu'elle lisait sur son visage presque empreint de douleur.

Très rapidement, elle sentit un deuxième orgasme monter en elle.

— Xander ! eut-elle le temps de crier avant d'atteindre le point culminant.

Elle fut balayée par un orgasme encore plus violent que le précédent.

Comme s'il n'attendait que cela, Xander jouit alors dans un râle, le corps secoué de spasmes.

Lorsque Samantha s'éveilla, elle mit plusieurs secondes avant de rassembler ses esprits et se rappeler où elle se trouvait.

Elle regarda alors l'homme qui dormait à ses côtés, et le souvenir de leur nuit d'amour surgit dans sa mémoire. Aussitôt, la pensée qu'il n'y en aurait pas une deuxième la plongea dans le désespoir.

Quelle idiote ! Comment avait-elle pu croire qu'elle était capable de faire l'amour avec un homme comme Xander Sterne sans que cela ne prête à conséquence ? Obnubilée par son désir, elle s'était bercée de cette illusion. Le résultat lui apparaissait clairement à présent : elle s'était menti. Pas seulement en se persuadant qu'elle pouvait avoir des rapports sexuels occasionnels, mais aussi en minimisant ses sentiments pour Xander. Et les regrets qu'elle pourrait avoir plus tard…

Eh bien, ils ne s'étaient pas fait attendre !

Il lui avait suffi de poser les yeux sur le visage endormi de Xander, sur sa magnifique tignasse blonde étalée sur l'oreiller, sur son torse musclé, sur ses hanches et ses cuisses d'airain qu'elle devinait sous le drap pour se rendre compte qu'elle était amoureuse de lui.

Oui, au cours de la semaine écoulée passée dans l'appartement de Xander, au cours de ces jours où ils s'étaient confiés l'un à l'autre, où il l'avait émue par sa sollicitude, elle était tombée follement amoureuse de lui.

Il ne lui restait qu'une chose à faire à présent : sortir sans bruit de son lit et regagner sa chambre sans le réveiller. Comme ces femmes belles et sophistiquées qui pouvaient facilement avoir des rapports occasionnels avec un amant aussi expérimenté que Xander avant de partir le lendemain matin sans regrets. Sauf qu'elle n'était ni belle ni sophistiquée, et, pire que tout, qu'elle était incapable de tirer un trait sur Xander sans être assaillie par les regrets.

Pas plus qu'elle n'avait envie de voir la déception sur son beau visage s'il la trouvait près de lui à son réveil, lui qui pouvait avoir dans son lit les femmes les plus attirantes.

Heureusement qu'ils avaient oublié de tirer les rideaux et que la lumière de l'aube l'avait réveillée avant lui…

Xander se sentait merveilleusement bien. Les rayons du soleil matinal réchauffaient son visage et chatouillaient avec douceur ses paupières encore closes. Il se sentait en outre merveilleusement comblé, comme il ne se souvenait pas l'avoir jamais été.

Les événements de la nuit refirent surface.

Il ouvrit les yeux et se tourna de l'autre côté du lit. Vide ! Comme était vide sa chambre à coucher, s'aperçut-il alors. Les vêtements de Samantha avaient disparu et de la salle de bains ne venait aucun bruit de douche. Sur la table de nuit, le réveil indiquait à peine 6 heures du matin.

Où pouvait-elle bien être ?

En tout cas, elle était partie. Avait-elle regagné sa chambre ou avait-elle quitté l'appartement ?

Même si Samantha regrettait ce qui s'était passé — ce que semblait indiquer sa disparition —, elle n'aurait sans doute pas réveillé Daisy en pleine nuit pour partir sans rien lui dire. Surtout en se sachant à la merci de son ex-mari.

Non, elle n'aurait pas fait une chose pareille, il en était sûr.

Mais elle s'était bel et bien envolée de son lit pendant la nuit. Pourquoi ? Elle lui avait pourtant paru heureuse la veille, lorsqu'elle s'était blottie confortablement dans ses bras avant qu'ils ne sombrent tous deux dans un sommeil profond !

Dire qu'il ne s'était même pas réveillé quand elle avait déserté son lit, tant il était comblé et épuisé par leurs ébats après des semaines de privation ! Elle s'était sauvée comme une voleuse, comme si la nuit dernière ne signifiait rien pour elle.

Comme si *lui* ne signifiait rien pour elle...

Ce qui était peut-être le cas, après tout. Se pouvait-il que Samantha ait couché avec lui par gratitude pour l'aide qu'il lui avait offerte en la débarrassant de son ex-mari ? Se pouvait-il que, devant l'évidence de son désir, elle n'ait pas su dire non ?

— Vous voulez des céréales, des crêpes ou bien des œufs au bacon ? débita Sam d'une traite lorsque Xander apparut dans l'embrasure de la porte de la cuisine.

Il avait la mine défaite et la regardait d'un œil sombre et circonspect, à mille lieues de l'amant fougueux qui l'avait comblée la nuit précédente ou de l'homme paisiblement endormi qu'elle avait quitté un peu plus tôt le matin même.

Tout comme elle était à mille lieues de la femme désinhibée de la veille...

Rien que de penser à l'intimité qu'ils avaient partagée, elle sentit ses joues s'empourprer.

— Ou peut-être juste un café, comme d'habitude ? continua-t-elle précipitamment.

— Un café, merci, ça ira, répondit-il en allant s'asseoir en face de Daisy, qui terminait ses crêpes.

Sam le servit, puis débarrassa l'assiette vide de sa fille et se mit à nettoyer la cuisinière. Elle tournait le dos pour masquer les larmes qui lui brouillaient la vue.

C'était horrible. Encore pire que ce qu'elle avait envisagé. Xander se conduisait comme s'il ne s'était rien passé entre eux.

Elle s'était dit qu'il y aurait au moins une conversation guindée, au cours de laquelle il aurait marmonné quelque chose comme : « Vous aviez raison, la nuit dernière, c'était une mauvaise idée. » Elle l'aurait alors invité à tourner la page, l'assurant que pour sa part elle l'avait déjà tournée.

La présence de Daisy ce matin, et durant tout le week-end, allait rendre ce bref entretien difficile, voire impossible. Par conséquent, la perspective de ces deux jours la remplissait d'appréhension.

Allait-elle réussir à donner le change ?

Quelle aberration aussi de passer un week-end à trois, comme s'ils formaient une famille ! C'était loin d'être le cas et ne le serait jamais.

Pour Xander, elle n'avait été qu'une aventure d'un soir, comme toutes celles qu'il vivait régulièrement. Par conséquent, elle n'avait aucune raison de lui en vouloir. Elle ne devait s'en prendre qu'à elle-même si elle avait juste servi à assouvir son désir. Après tout, il ne lui avait fait aucune déclaration enflammée, aucune promesse, aucun serment d'amour éternel, et c'était de son plein gré qu'elle avait décidé de faire l'amour avec lui.

Alors tant pis pour elle si elle était tombée amoureuse de cet homme et si l'idée de le quitter à la fin de la semaine suivante pour ne plus jamais le revoir lui brisait le cœur.

Et il était bien sûr hors de question qu'il se doute un seul instant de ses sentiments…

La tristesse de Samantha n'avait pas échappé à Xander. Il n'avait eu aucune peine à deviner pourquoi elle leur tournait le dos, à Daisy et à lui : le léger tremblement de ses épaules et le bref reniflement qu'il percevait par intermittence indiquaient clairement qu'elle était en train de pleurer.

Ce qui ne faisait qu'accroître son sentiment de culpabilité.

Parce qu'il avait profité d'elle la nuit précédente.

Parce qu'il avait tiré parti de ses émotions : la peur de son ex-mari, sa gratitude pour l'aide qu'il lui offrait, la compassion qu'elle éprouvait pour son passé d'enfant battu.

A présent, elle devait amèrement regretter ce qui s'était passé entre eux. Sinon, elle n'aurait pas quitté sa chambre en le laissant endormi et ne serait pas en train de pleurer ce matin, si ?

Xander prit une gorgée de café, assailli d'interrogations. Il ne savait pas trop quoi faire pour arranger les choses.

S'excuser et lui dire qu'il avait compris et accepté que la nuit dernière avait été une erreur ? Mais pour lui ce n'était pas le cas ! Lui promettre que cela ne se reproduirait pas ? Il se savait incapable de respecter une telle promesse quand son désir était plus fort que jamais.

Ou la laisserait-il prendre la parole la première, quitte à la mettre dans une situation embarrassante ? Non, cette option n'était même pas envisageable ; il était hors de question que Samantha se sente humiliée.

De toute façon, il devait lui parler…

— Daisy, et si j'allais te mettre un dessin animé ? suggéra-t-il d'un ton léger en se levant.

La fillette accepta avec enthousiasme et le suivit dans la salle de télévision. Là, il la fit asseoir et inséra un DVD dans le lecteur.

— Je retourne dans la cuisine pour bavarder avec maman, d'accord, Daisy ?

— D'accord, acquiesça-t-elle distraitement, les yeux fixés sur l'écran.

Xander ferma doucement la porte derrière lui et prit une profonde respiration. Vu les circonstances, la conversation n'allait pas être une partie de plaisir.

Si seulement les choses s'étaient passées comme il l'avait espéré ! Se réveiller dans les bras l'un de l'autre, refaire l'amour comme des fous avant de discuter du devenir de leur relation. Hélas, Samantha n'était visiblement pas dans les mêmes dispositions que lui…

Mais dès qu'il pénétra dans la cuisine, Xander comprit que la conversation ne serait pas à l'ordre du jour : pâle comme un linge, Samantha se tenait immobile, figée, le téléphone au bout des doigts.

— Samantha ? lança-t-il en traversant la pièce.

Il lui prit l'appareil des mains et le replaça contre le mur, inquiété par l'expression douloureuse et les yeux fixes de la jeune femme.

— Samantha, que se passe-t-il ?

Elle le regarda comme si elle ne le voyait pas, ou ne le reconnaissait pas.

— Samantha ! fit-il en la secouant doucement par les épaules.

— Le service de sécurité vient d'appeler, indiqua-t-elle d'une voix morne, sans la moindre trace d'émotion, tout en continuant à le considérer d'un air absent.

— Et ?

Elle cligna des yeux et parut sortir de sa torpeur.

— Malcolm est en bas.

— Malcolm Howard ?

— Oui. Et il aurait dit au vigile qu'il n'avait pas l'intention de partir avant d'avoir parlé à l'un d'entre nous, ou aux deux.

Xander savait cette confrontation inévitable. Il n'avait juste pas prévu qu'elle aurait lieu aussi tôt, et surtout avant d'avoir eu l'occasion de parler de la nuit dernière avec Samantha.

10.

Peut-être que s'il n'avait pas été aussi obnubilé, aussi aveuglé par son désir pour Samantha et le besoin de la protéger, Xander aurait pris conscience que Malcolm Howard était suffisamment sans-gêne pour débarquer chez lui. Tout ce qu'il avait appris sur le bonhomme la semaine passée indiquait que c'était quelqu'un qui ne s'embarrassait pas des convenances.

— Je croyais que vous aviez dit que votre avocat contacterait Malcolm pour lui proposer un rendez-vous ? fit remarquer Samantha, sur un ton dénué de tout reproche.

— Il devait le faire dès lundi matin. J'avais apparemment sous-estimé les pouvoirs de déduction d'Howard.

Elle eut un petit sourire amer.

— Vous n'avez pas à vous en vouloir : vous n'êtes ni le premier ni le dernier dans ce cas.

— Je suis tellement désolé, Samantha.

Il fronça les sourcils. La jeune femme semblait complètement déstabilisée. Il valait peut-être mieux lui éviter le choc d'être de nouveau confrontée à son ex.

— Vous n'êtes pas obligée de le revoir, dit-il avec douceur pour la rassurer. Je peux très bien descendre à la réception et lui dire que mon avocat le contactera lundi matin, comme prévu.

Sam savait que Xander lui proposait l'option la

moins risquée, mais c'était aussi la plus lâche. Or elle ne voulait plus faire preuve de couardise.

— Non, déclara-t-elle avec fermeté, il n'en est pas question !

Elle allait affronter Malcolm, même si cela relevait de la gageure : son pire cauchemar devenait réalité.

En fait, ce n'était plus tout à fait vrai. Son pire cauchemar, devenu réalité lui aussi, c'était qu'elle soit tombée amoureuse de Xander Sterne en sachant que cet amour n'était pas réciproque ; et ne le serait jamais.

Elle ferma brièvement les yeux et prit une profonde inspiration.

Avait-elle envie de parler à Malcolm ? Absolument pas.

Voulait-elle que la situation entre eux soit réglée une bonne fois pour toutes ? Tout à fait.

Alors autant ne pas perdre de temps.

— Vous pensez que Daisy est bien occupée avec la télé ? demanda-t-elle.

Il ne fallait surtout pas que sa fille sache que l'homme qui était son père se trouvait dans l'appartement.

— Oui, répondit Xander. Elle regarde un de ses dessins animés préférés, et j'ai mis le son assez fort.

Sam hocha la tête.

— Alors je préférerais que nous parlions tous les deux à Malcolm, si vous êtes d'accord.

— Vous êtes sûre ? demanda-t-il en fronçant les sourcils, visiblement guère ravi de sa décision.

— Absolument. Et le plus vite sera le mieux.

Une fois terminée la discussion avec Malcolm et l'affaire réglée — du moins elle l'espérait —, une conversation entre Xander et elle serait inévitable. Rester une semaine de plus chez lui, après la nuit précédente, était déjà passablement gênant ; après la visite inopinée de Malcolm, la situation deviendrait carrément impossible s'ils ne l'éclaircissaient pas au plus vite. Celui qui après tout n'était que son employeur avait déjà beaucoup fait pour elle, il n'était pas question qu'elle continue à l'impliquer dans sa vie et dans ses problèmes.

— Entendu, acquiesça Xander. Si vous saviez comme je m'en veux de n'avoir pas été capable de vous protéger en vous évitant cette confrontation.

— Je sais que votre instinct est de protéger, pas de détruire, l'assura Samantha avec conviction. Et pour la confrontation, ne vous inquiétez pas : avec vous, je ne crains rien.

Cette affirmation, qui témoignait de la confiance aveugle qu'elle lui accordait, lui fit chaud au cœur.

— Nous discuterons dans mon bureau.

Il saisit le combiné pour demander à la réception de faire monter Malcolm Howard. Puis il se tourna vers Samantha.

— Allez nous attendre dans mon bureau. Moi, je vais le réceptionner à l'ascenseur.

Il sortit dans le couloir après avoir délibérément laissé sa canne contre la table du petit déjeuner : ce n'était pas le moment de mettre Howard en position de force en se montrant à lui diminué physiquement.

Lorsque ce dernier émergea de l'ascenseur, Xander le détesta d'emblée. Pour tout un tas de raisons, qui s'imposèrent à lui dans le tumulte de son esprit. Il le détestait d'avoir un jour compté pour Samantha, d'avoir été marié avec elle sans avoir été capable d'apprécier le joyau qu'elle était, d'être le père de Daisy. Et, surtout, de leur avoir rendu la vie impossible à toutes les deux.

Rouge de colère, Malcolm Howard donna sans préambule libre cours à son indignation :

— Vous rendez-vous compte de l'humiliation que vous m'avez fait subir hier soir, quand je suis arrivé au club avec mon amie ? Là, j'ai appris que le tout-puissant Xander Sterne avait personnellement annulé mon adhésion !

Xander ne put contenir une moue de dégoût. Howard savait que sa fille et son ex-femme vivaient actuellement chez lui, et tout ce qui lui importait, c'était l'annulation de son adhésion à l'un de ses clubs !

Il serra les poings, mais, grâce à la conviction de Samantha qu'il n'était pas violent comme son père, il parvint à se maîtriser.

— Désolé, vous ne remplissez plus les critères pour être membre de la boîte de nuit de l'Hôtel Midas.

— Ah oui ? Et quels sont donc ces critères ? Un homme n'est pas autorisé à être membre de cette boîte à partir du moment où vous couchez avec son ex-femme ? Si c'est le cas, alors je suis surpris qu'il y ait encore des hommes à Londres pour remplir votre club !

Xander compta mentalement jusqu'à dix. Et encore jusqu'à dix. Puis une autre fois. Et enfin, une dernière fois. Il était résolu à ne pas décevoir Samantha, à ne pas laisser sa colère prendre le dessus.

— Rien à dire ? ironisa Howard.

— J'ai du mal à supporter de devoir respirer le même air que vous, répondit-il, glacial.

— Je suppose que vous oubliez aisément cette aversion quand il s'agit de coucher avec mon ex, ricana son odieux visiteur.

Xander serra les dents. Ah, comme il aurait aimé réduire cette crapule au silence par un bon coup de poing dans la figure ! Au lieu de quoi il prit une profonde inspiration et toisa Malcolm Howard avec dédain.

— Je n'ai pas l'intention d'ajouter quoi que ce soit tant que Samantha n'est pas présente. Elle nous attend dans mon bureau.

Sur ces mots, il tourna les talons sans se préoccuper de savoir si Howard le suivait, tâchant d'ignorer la douleur lancinante dans sa jambe gauche.

Arrivé devant la porte de son bureau, il se retourna et fit face à Howard.

— Ecoutez-moi bien, lâcha-t-il à voix basse en le toisant froidement, ne vous avisez plus de faire du mal à Samantha, sinon gare à vous !

— Vous me menacez ? s'exclama Howard, visiblement hors de lui.

— Ce n'est pas une menace mais une promesse, affirma Xander.

Il ouvrit la porte de son bureau et s'effaça pour laisser passer son visiteur. Lui emboîtant le pas, il vit que Samantha se tenait près de la fenêtre.

Comme elle était à contre-jour, il était dans l'impossibilité de distinguer l'expression de son visage. Mais il nota la raideur de ses frêles épaules et la façon dont elle tenait les mains serrées devant elle, signes évidents que cet entretien avec son ancien époux constituait pour elle une véritable épreuve.

Il traversa la pièce pour se placer devant elle, la soustrayant ainsi à la vue d'Howard, et il prit ses mains glacées dans les siennes. Son visage était d'une pâleur telle qu'elle faisait ressortir ses taches de rousseur. Lorsqu'elle leva vers lui un regard confiant, il lut dans ses yeux une indicible souffrance.

Jamais, non jamais il ne pourrait trahir la confiance que cette jeune femme vulnérable lui accordait.

— Prête ? murmura-t-il avec douceur.

Sam releva le menton, bravache. Etait-elle prête pour cette confrontation qui s'annonçait particulièrement pénible ? Elle l'ignorait à vrai dire. De toute façon, elle ne pouvait plus reculer. Une chose était sûre cependant : sans la présence de Xander, la question ne se serait même pas posée. Sam se serait effondrée, ou enfuie.

Elle lui était infiniment reconnaissante. Dans le

même temps, elle ne pouvait s'empêcher de se sentir coupable de l'avoir impliqué dans ses problèmes. Bien sûr, c'était lui qui lui avait proposé son aide ; mais à ce moment-là il n'avait certainement pas pensé que la situation allait devenir aussi désagréable. Elle avait bien vu, à son expression, qu'il était loin d'imaginer que son ex-mari puisse débouler chez lui à l'improviste !

— Quel charmant tableau ! lança Malcolm d'un ton dédaigneux. Sterne, vous pourriez peut-être lâcher les mains de mon ex-femme pour que nous puissions commencer à bavarder.

Samantha avait beau s'être promis de rester imperturbable face à lui, son ton sarcastique lui donnait la nausée. Elle aurait dû se souvenir que les mots avaient toujours été l'arme de prédilection de Malcolm...

— Ignore-le et regarde-moi, lui chuchota Xander en la tutoyant de nouveau. Je suis là pour vous protéger, Daisy et toi. Je ne le laisserai pas vous faire du mal.

Des larmes de gratitude perlèrent aux paupières de Sam.

— Entendu, acquiesça-t-elle en se redressant avec détermination.

— Parfait. Va t'asseoir derrière le bureau. Cela te donnera une contenance.

— Merci, articula-t-elle silencieusement.

Elle s'installa dans l'imposant fauteuil en cuir, non sans noter que Malcolm s'affalait dans le siège opposé. Aussitôt, Xander alla se poster derrière elle, le dos appuyé contre le mur, de façon sans doute, se dit-elle, à pouvoir regarder Malcolm bien en face.

— Cette conversation aurait dû être du ressort de nos avocats, commença Sam d'une voix glaciale.

— Voyez-vous ça..., fit Malcolm avec un ricanement. Tu es devenue bien courageuse depuis que tu partages le lit d'un milliardaire !

— Surveille tes paroles, Malcolm, intima Sam d'une

voix assurée, pour empêcher toute réaction violente de Xander.

Ce dernier, qui avait déjà fait un pas, réussit à se contrôler.

— Le preux chevalier est prêt à voler au secours de sa dulcinée, on dirait ? ironisa Malcolm en jaugeant Xander d'un air de défi. Alors, rien à dire pour votre défense, Sterne ?

— Je ne ressens pas le besoin de me justifier auprès d'un type comme vous. Un lâche qui n'hésite pas à s'en prendre à une femme et à une enfant.

— Je ne me souviens pas avoir entendu Sam se plaindre, à l'époque.

— C'est peut-être que vous n'écoutiez pas ?

Malcolm se rembrunit.

— Espèce de…

— Venons-en à l'objet de cette réunion, le coupa Xander.

— Je n'ai pas fini.

— Possible, mais vous *êtes* fini. Le problème, c'est que vous n'êtes pas suffisamment futé pour savoir quand la partie est perdue.

— Espèce de sale…

— Ça suffit ! l'interrompit de nouveau Xander. Il est temps de passer aux choses sérieuses. La semaine passée, vous avez eu une réponse négative pour un prêt de la part d'une certaine banque, me semble-t-il.

Lorsque Malcolm bondit sur ses pieds, Sam ne put retenir un bref mouvement de recul.

— Parce que vous êtes responsable aussi de ça ? rugit-il.

Xander lança un coup d'œil contrit à Sam.

— Je croyais que tu avais dit qu'il était intelligent ?

Elle haussa les épaules.

— C'est ce que je pensais.

— Apparemment, tu t'étais trompée, fit Xander avec un sourire.

Il se tourna de nouveau vers Malcolm.

— Bon, assez tergiversé, poursuivit-il. Mon avocat a d'ores et déjà rédigé un contrat, que je vous invite *vivement* à signer lundi matin. Il stipule que vous acceptez de donner à Samantha un million de livres au titre du divorce, somme que vous auriez dû lui octroyer il y a trois ans. Il stipule également que vous renoncez à tout droit de visite et d'hébergement concernant Daisy, et que vous ne tenterez jamais plus de les revoir ni l'une ni l'autre.

Sam ouvrit de grands yeux, ébahie. C'était plus qu'elle n'aurait espéré. Tout ce qu'elle voulait, c'était la garantie que Malcolm abandonne *pour de bon* tout droit de visite. Elle n'était cependant pas stupide au point de cracher sur l'argent ! Avec un million de livres, elle pourrait élever sa fille sans se soucier du lendemain et épargner pour l'avenir de celle-ci.

La réaction de Malcolm ne se fit pas attendre :

— Ma parole, vous êtes complètement cinglé ! s'esclaffa-t-il.

Xander était-il capable d'intimider son ex jusqu'à le contraindre à signer un tel contrat ? A en juger par son expression de froide détermination, il semblait sûr de lui. Il n'en fallut pas plus pour la galvaniser.

— J'écouterais Xander à ta place, Malcolm, lui recommanda-t-elle avec aplomb.

— Tu penses que je me soucie de l'opinion d'une personne aussi insignifiante que toi ? lui rétorqua Malcolm, sarcastique. Tu te sens peut-être pleine de courage et d'audace maintenant, mais tu feras moins la fière quand Sterne se lassera de toi et te jettera comme une vieille chaussette.

Xander en avait assez entendu. Ce type abject dépassait les bornes. Il se dirigea vers lui d'un air menaçant avec la furieuse envie de lui faire ravaler ses paroles.

Il avait beau être conscient que, s'il cédait aux provocations d'Howard, il risquait de faire quelque chose qu'il finirait par regretter et qu'il fallait absolument qu'il se contrôle, ne serait-ce que pour Samantha, sa fureur était plus forte que sa raison.

— Je vous conseille vivement de vous montrer plus respectueux lorsque vous vous adressez à Samantha.

Malcolm ricana.

— Qu'est-ce que ça peut vous faire, la façon dont je lui parle ?

— Ce n'est pas votre problème. Tout ce que vous avez besoin de savoir, c'est que je ne tolérerai pas que vous lui manquiez de respect.

— Et peut-être que, *vous*, vous devriez cesser de la laisser croire que vous tenez à elle. Ça vous amuse sans doute de jouer les preux chevaliers en ce moment, mais nous savons tous les deux qu'elle n'est qu'un amusement pour vous, un joli jouet pour réchauffer votre lit. Jusqu'à ce que vous vous lassiez et passiez à la conquête suivante.

Si ce salaud de Malcolm avait voulu la meurtrir, il n'aurait pas pu mieux s'y prendre, songea Sam. Il avait appuyé là où ça faisait mal. L'idée qu'elle n'avait rien à espérer de Xander et que leur nuit d'amour serait sans lendemain lui tordait le cœur. Mais elle ne donnerait pas à son ex la satisfaction de lui laisser voir à quel point il avait visé juste.

Elle s'efforça de garder une expression impassible. Elle jeta un coup d'œil à Xander et nota qu'il semblait à présent hors de lui. Elle eut soudain peur qu'il laisse libre cours à la violence qu'il essayait de juguler depuis un moment. Il fallait qu'elle intervienne, immédiatement.

— Xander, l'interpella-t-elle d'une voix assurée, tu te rends compte que si tu cèdes à l'envie de casser la figure à ce mufle abject, ce qu'il mérite sans aucun doute, il te faudra ensuite te désinfecter les mains, n'est-ce pas ?

Ensuite, sans se départir de son calme, elle se tourna vers Malcolm pour lui lancer un regard moqueur.

Xander sentit sa tension retomber et son corps se détendre. Il avait envie de dire toute son admiration à Samantha, de la féliciter pour sa présence d'esprit et son humour. Il lui sourit et elle lui rendit aussitôt son sourire. Il se doutait qu'elle paraissait plus sûre d'elle qu'elle ne l'était en réalité mais, grâce à elle, il avait réussi à se dominer.

Maintenant qu'il avait retrouvé son calme, il s'agissait d'en finir avec cette histoire.

— A votre avis, Howard, lequel d'entre nous a le plus de pouvoir ? Combien de temps pensez-vous tenir si je ne donne pas mon accord pour votre prêt ? Et combien de temps allez-vous continuer à être invité aux soirées mondaines que vous affectionnez tant si je décide de rendre publique mon aversion pour vous ? Combien de restaurants vont soudain s'apercevoir qu'ils n'ont plus aucune table de libre ? Et combien de temps faudra-t-il au gratin londonien pour se demander pourquoi je vous trouve aussi odieux ?

— Ils trouveront vite la réponse : parce que vous entretenez une liaison avec mon ex-femme, fulmina Howard.

— Je *travaille* pour lui, corrigea Samantha d'un ton ferme. Mais là n'est pas la question. Je te conseille de signer le contrat et de ne plus jamais te trouver sur mon chemin. Parce que sinon, je laisserai Xander te ruiner.

Jamais il n'avait autant admiré la jeune femme qu'à ce moment-là. Elle était splendide, avec ses yeux qui lançaient des flammes et sa chevelure qui flamboyait sur ses épaules.

Howard prit une profonde inspiration.

— Si je signe ce contrat, qu'est-ce qui me garantit que vous allez respecter vos engagements ?

— Vous avez notre parole, à Samantha et à moi, répondit Xander d'un ton sec. Contrairement à vous, l'intégrité de Samantha est irréprochable. Quant à moi, contrairement à vous encore une fois, je n'ai qu'une parole.

Un affreux rictus déforma le visage d'Howard.

— Je me demande bien pourquoi je devrais accepter un tel marché !

— Parce que, comme l'a évoqué Samantha, je me ferai un plaisir de vous ruiner si vous ne signez pas le contrat, répliqua-t-il d'une voix doucereuse.

Son adversaire poussa un grognement.

— Il faudrait que je vive avec cette épée de Damoclès au-dessus de ma tête pour le reste de mes jours ?

— C'est mieux que de l'avoir plantée dans le cœur, rétorqua-t-il.

Howard le fixa un long moment, semblant peser le pour et le contre.

— D'accord, je signerai votre fichu contrat ! finit-il par accepter d'un air furieux. Mais vous avez intérêt à respecter vos engagements !

— Je vous ai déjà donné ma parole, s'agaça Xander.

A présent, il n'avait plus qu'une envie : que cet homme s'en aille au plus vite. Il voulait se retrouver seul avec Samantha, la prendre dans ses bras, la réconforter.

Malcolm Howard leur jeta un regard méprisant.

— Il n'y a pas à tortiller, vous vous êtes bien choisis, tous les deux !

— Tu n'as rien trouvé de mieux à dire ? lança Sam.

Elle se demandait comment elle avait pu avoir peur d'un type aussi minable, et surtout comment elle avait pu se croire amoureuse de lui !

Malcolm se contenta d'un grognement et se dirigea vers la porte que lui indiquait Xander.

— Et je voulais te dire, ajouta-t-elle, que tu as toujours été bien trop égoïste pour savoir ce qui me donnait du plaisir au lit.

Malcolm se figea et, la mine menaçante, fit volte-face pour se diriger vers elle, la main levée.

— Espèce de sale petite…

Il n'eut pas le temps de finir sa phrase : une tornade rousse avait déboulé dans le bureau à toute vitesse et donnait des coups de pied dans les tibias de Malcolm.

— Ne touche pas ma maman ! s'écria Daisy.

Malcolm resta interdit pendant quelques secondes, puis il attrapa sa fille par les épaules pour l'écarter de lui.

— Je suis ton papa, Daisy, dit-il.

— Tu n'es pas mon papa ! Les papas sont gentils et toi, tu es méchant. Je te déteste ! s'écria la fillette, le visage ruisselant de pleurs.

Elle se mit de nouveau à lui donner des coups de pied.

Sam avait été tellement surprise par l'irruption soudaine de sa fille que, sur le moment, elle avait été incapable de réagir. Elle reprit ses esprits et se précipita sur Daisy pour la prendre dans ses bras.

— Tout va bien, ma chérie, murmura-t-elle, mêlant ses larmes à celles de sa fille. Tout ira bien, je te le promets.

Daisy s'accrocha à elle comme une noyée et se blottit contre son épaule.

— Fais-le partir, Xander ! Fais-le partir ! supplia-t-elle d'une voix entrecoupée par les sanglots.

Xander ne se le fit pas dire deux fois. Il saisit Howard par un pan de sa veste et l'entraîna hors de la pièce. Il ferma la porte derrière eux pour laisser Sam seule avec sa fille.

— Eh bien, quelle journée ! fit Xander.

Sam était si fatiguée qu'elle dut faire un effort pour lever les yeux vers lui. Ils étaient installés face à face au salon en ce début de soirée. Daisy dormait à poings fermés et Sam n'avait qu'une envie, se glisser dans son lit, rabattre les couvertures sur sa tête et rester là pour le reste du week-end.

La journée avait vraiment été éprouvante, Xander avait raison.

Après l'entrevue houleuse avec Malcolm, et une fois Daisy remise de ses émotions, Xander avait proposé de s'en tenir au programme qu'il avait prévu pour faire plaisir à la petite fille. Ils étaient donc allés au cinéma, puis il les avait emmenées manger une pizza. De retour à la maison, Sam avait donné le bain à sa fille. Xander l'avait ensuite mise au lit après lui avoir raconté une histoire.

Mais si Daisy avait été ravie de son après-midi, il n'en allait pas de même pour Sam.

Passer le week-end avec Xander comme s'ils formaient une famille alors que ce n'était pas le cas et ne le serait jamais la plongeait dans le désespoir.

Elle savait pertinemment qu'une fois rétabli il retournerait à son existence habituelle, et qu'elle n'en ferait pas partie. Cette idée lui était insupportable. D'autant que plus le temps passait et plus elle se sentait éprise et dépendante.

Il fallait que cela cesse.

Tout de suite.

C'était la raison pour laquelle elle avait décidé de ne pas attendre une semaine de plus.

— Daisy et moi devons partir, annonça-t-elle d'une voix atone.

— Quoi ? s'écria Xander en se redressant.

— Je crois qu'après tout ce qui s'est passé nous ne pouvons rester plus longtemps. Vous n'imaginez pas à quel point je vous suis reconnaissante pour tout ce que vous avez fait pour nous, mais…

— Je ne veux pas de ta gratitude, Samantha !

— Néanmoins vous l'avez, insista-t-elle calmement, les yeux baissés pour ne pas rencontrer le regard de Xander. Vous êtes presque complètement rétabli et je suis sûre que vous saurez vous débrouiller tout seul. Bien entendu vous pourrez continuer à voir Daisy de temps à autre si vous en avez envie.

— Quelle générosité ! fit-il d'un ton sarcastique.

— S'il vous plaît, ne soyez pas fâché.

— Tu t'attends à ce que je saute de joie, peut-être ?

Il se passa une main dans les cheveux, puis se leva d'un bond, l'air grave.

— Et notre nuit, Samantha ? Et *nous deux* ? Qu'est-ce que tu en fais ?

Elle secoua la tête tristement.

— Il n'y a pas de « nous deux ». Il n'y en aura jamais.

— Tu n'en sais rien.

— Si, je le sais ! affirma-t-elle avec véhémence. La nuit dernière, c'était… eh bien, c'était merveilleux. Mais cela ne pourra pas se reproduire. Et rester ici, dans ces circonstances, serait tout simplement…

Sam s'interrompit, les larmes au bord des yeux. Elle inspira une longue gorgée d'air.

— Je dois partir, Xander, vous ne comprenez pas ?

Elle se leva d'un mouvement déterminé.

— Je dois partir, répéta-t-elle.

Elle leva la main en voyant que Xander s'apprêtait à protester.

— S'il vous plaît, ne rendez pas les choses plus difficiles qu'elles ne le sont. Daisy et moi partirons demain matin, et j'aimerais beaucoup que vous puissiez la revoir. Elle vous aime tant.

Ce que Sam ne dit pas, c'était qu'elle-même l'aimait à en mourir, et que cela lui brisait le cœur de devoir le quitter…

Xander ne parvenait pas à parler. Jamais il ne s'était senti aussi impuissant.

A quoi servirait d'insister ? se demanda-t-il. Samantha le considérait comme un étranger et lui parlait comme s'il ne s'était rien passé entre eux, s'obstinant à le vouvoyer lorsqu'elle s'adressait à lui.

Elle lui avait clairement fait comprendre que sa décision était prise. Tout comme elle lui avait fait comprendre que la nuit précédente n'avait pas eu la même signification que pour lui.

Elle avait vraiment l'intention de partir le lendemain.

Et il n'y avait rien qu'il puisse faire ou dire pour la faire changer d'avis…

11.

Un mois plus tard

— Quand vas-tu cesser de broyer du noir et te décider à aller déclarer ta flamme ? fit la voix de Darius.

Xander se retourna. Il avait repris son travail chez Midas Entreprises et regardait d'un air absent par la fenêtre de son bureau. Il n'avait pas entendu son frère ouvrir la porte.

Il lança un regard furieux à ce dernier, nonchalamment appuyé contre le chambranle.

— Je suis trop occupé pour réagir à ton humour débile aujourd'hui, le rembarra-t-il d'un ton agressif en se redressant dans son fauteuil.

Darius traversa lentement la pièce.

— Je vois, dit-il avec un sourire moqueur devant la table de travail vide de Xander. J'ai pensé que tu serais content de savoir que je reviens du studio de danse de Miranda.

Xander se crispa.

— Et en quoi cela devrait-il m'intéresser ?

Les yeux de Darius pétillèrent.

— Sans doute parce que j'ai vu également Samantha lorsque j'étais là-bas.

Xander sentit son cœur se serrer. Cela faisait maintenant quatre semaines et demie qu'il n'avait pas eu de contact avec Samantha. Depuis le lendemain du jour où ils avaient chassé Howard avec perte et fracas, et où elle lui avait annoncé qu'elle partait. Elle avait préparé ses bagages et fait exactement ce qu'elle avait dit.

Il avait tenté de la dissuader, mais la jeune femme s'était montrée inflexible. Elle l'avait une nouvelle fois remercié très poliment pour son aide, puis assuré qu'il avait suffisamment récupéré pour se prendre en charge — il n'avait donc plus besoin d'elle.

Il n'avait plus *besoin* d'elle ? La bonne blague ! Depuis ce fameux dimanche matin, il ne s'était pas passé un seul jour sans que son cœur ne saigne. Pas un moment sans qu'il ne pense à elle, sans qu'il n'ait envie de la voir, d'être de nouveau avec elle.

Et il ne s'était pas trompé en imaginant que, sans la présence de Samantha et de Daisy, son appartement aurait la chaleur d'une morgue. Par conséquent, il y passait à présent le moins de temps possible.

Xander pinça les lèvres.

— Samantha m'a clairement signifié qu'elle n'avait aucune envie de me revoir, Darius.

— C'est étrange, elle me demande comment tu vas chaque fois que je la vois au studio de Miranda, confia Darius d'une voix douce.

Xander se leva brusquement et alla se poster devant l'immense baie vitrée à l'autre bout de la pièce, le regard perdu dans le vague.

— Elle est polie, c'est tout. Elle se croit peut-être obligée de demander de mes nouvelles parce que je l'ai aidée à se débarrasser de son ex-mari une fois pour toutes.

Howard avait honoré son rendez-vous chez l'avocat ; ni Samantha ni lui n'avaient eu besoin d'être présents lorsqu'il avait signé le contrat. Il avait également versé ce qu'il devait à Samantha au titre du divorce. Aujourd'hui, Daisy et elle louaient un trois pièces donnant sur un parc. Samantha avait conservé son travail à temps partiel au studio de danse d'Andy et, d'après sa belle-sœur, les deux femmes étaient plus amies que jamais.

Darius le rejoignit devant la baie vitrée.

— Sam n'a pas l'air bien aujourd'hui.

Xander tourna aussitôt la tête vers son frère.

— Que veux-tu dire ? Qu'est-ce qu'elle a ? demanda-t-il en fronçant les sourcils, soucieux.

— Qu'est-ce que j'en sais ? répondit Darius avec un haussement d'épaules.

Il le faisait exprès ou quoi ? s'agaça Xander *in petto*.

— Tu ne devrais avoir aucun mal à te renseigner, vu que ta femme est la meilleure amie de Samantha en même temps que son employeur.

Darius le regarda avec pitié.

— Figure-toi que Miranda et moi avons mieux à faire que de parler de Sam quand nous sommes tous les deux.

— Tu es vraiment pénible !

Il tourna brusquement les talons, traversa son bureau d'un pas déterminé et attrapa son manteau sur le dossier de son fauteuil.

— Où vas-tu ?

— Dehors ! répondit Xander.

Il lança un regard furieux à son jumeau tout en enfilant son manteau. Il ouvrit la porte, puis se dirigea avec impatience vers l'ascenseur.

Il ne fut pas surpris le moins du monde de trouver, en sortant de l'immeuble, la voiture et le chauffeur en train de l'attendre. Darius était peut-être agaçant, mais il lisait en lui comme dans un livre ouvert.

— Je vais conduire moi-même. Merci, Paul.

Il réussit à esquisser un sourire lorsque le chauffeur lui tendit les clés, puis il prit place derrière le volant. Ce fut le cœur plus léger qu'il ne l'avait jamais été ces quatre dernières semaines qu'il s'engagea dans les rues embouteillées de Londres, en direction du studio de danse d'Andy.

Il allait revoir Samantha.

Il allait lui parler à nouveau.

Restait à savoir si la jeune femme serait ravie de le revoir…

— Oserais-je espérer que tu t'es enfin décidé à venir voir Sam ? lui demanda ironiquement sa belle-sœur lorsqu'il arriva au studio.

Elle venait apparemment de donner son dernier cours de danse de la journée car la salle était vide.

Xander plissa les yeux.

— Darius et toi devriez sérieusement songer à former un duo d'humoristes.

Andy rit de bon cœur.

— Sam est dans le bureau. Au cas où ça t'intéresserait, bien sûr…

— En effet, ça m'intéresse, confirma Xander.

— Bonne chance !

Il allait en avoir besoin…

— Samantha ?

Sam s'immobilisa en entendant la voix rauque de Xander. Seigneur, voilà que son cerveau lui jouait encore des tours !

Elle l'avait entendue tant de fois dans sa tête ces dernières semaines, cette voix. Ici, au travail. Ou à la maison avec Daisy, dans leur nouvel appartement. Et la nuit, dans son lit.

Chaque fois qu'elle l'entendait, elle avait l'impression d'avoir un trou béant dans la poitrine, un vide que seule la présence de Xander pourrait combler. Mais il y avait loin de la coupe aux lèvres…

Ses yeux s'emplirent de larmes brûlantes et elle ferma les paupières pour les empêcher de couler. Si seulement elle pouvait cesser de souffrir ! Hélas, c'était impossible tant qu'elle aimerait Xander. Et elle l'aimerait toujours.

— Samantha ?

Sam sursauta et faillit tomber de sa chaise lorsque, le cœur battant à tout rompre, elle sentit des doigts lui caresser la joue. Levant des yeux incrédules, elle se retrouva face à Xander. Ce n'était pas un mirage !

Ce Xander n'était plus celui qu'elle avait connu et dont elle s'était éprise un mois auparavant. Fini les tenues informelles. Elle avait face à elle l'homme d'affaires à l'élégance raffinée dont la presse people faisait ses choux gras. Il portait un costume d'une grande sobriété à la coupe ajustée et avait troqué sa tignasse hirsute contre une chevelure disciplinée à la coupe impeccable.

Mais ce qui la frappa le plus, c'étaient les changements sur son visage : ses joues semblaient plus creuses, avec de profonds sillons autour de la bouche et des yeux, et un pli douloureux affinait ses lèvres.

Elle déglutit péniblement. Le doute l'assaillit de nouveau : était-ce vraiment Xander, là, devant elle, ou bien était-elle en proie à une hallucination ?

— Vous êtes réel ?

— Malheureusement pour toi, oui, je suis réel et bien réel, répondit-il avec un sourire triste.

— Malheureusement pour moi ? s'étonna Sam.

Jamais de sa vie elle n'avait été aussi contente de voir quelqu'un ! Se retrouver seule avec lui dans la même pièce, le voir bouger, sentir son odeur…

— Le dernier soir, dans mon appartement, tu m'as clairement fait comprendre que tu n'avais pas la moindre envie de me revoir.

— Moi ?

Tout ce qui s'était passé cette fameuse journée était

devenu pour Sam au fil des jours lointain et flou, comme un rêve dont on a du mal à se souvenir.

— Oui, toi, affirma Xander.

Il s'éloigna et enfonça les mains dans les poches de son pantalon. Sam ne répondait pas. Il l'observa en silence. Darius avait raison, elle n'avait pas bonne mine. Ses joues étaient pâles et creuses, ses beaux yeux améthyste sombres et hagards.

— Est-ce que ça va, Samantha ? Est-ce qu'Howard est revenu à la charge ?

— Non, absolument pas, assura-t-elle précipitamment. Je suis convaincue que nous sommes bel et bien débarrassées de lui. Et Daisy adore notre nouvel appartement. C'est un vrai plaisir pour elle d'aller au parc après l'école.

— Tant mieux, ça me fait vraiment plaisir. Mais je t'ai demandé comment tu allais, *toi*, fit-il d'un ton bourru.

Elle détourna le regard.

— J'adore travailler ici avec Andy. Et le fait de ne plus avoir de soucis d'argent…

— Ce n'est pas non plus ce que je demandais, coupa-t-il.

Il se rendit aussitôt compte qu'il avait haussé le ton.

— Désolé, je n'avais pas l'intention d'élever la voix. C'est juste que… tu m'as manqué, Samantha.

— Je vous ai *manqué* ? demanda-t-elle dans un souffle.

Xander acquiesça d'un bref signe de tête.

— Enormément. Je… Dis-moi, tu veux bien dîner avec moi ce soir ?

Sam le regarda, incrédule. Avait-elle bien entendu ? Pourquoi Xander l'inviterait-il à dîner ? La mâchoire crispée, il semblait attendre sa réponse.

— Je vais très bien, Xander, affirma-t-elle en baissant les yeux. Malcolm a signé le contrat et la somme qu'il devait me donner a été virée sur mon compte. Je fais un travail qui me plaît, je suis bien installée dans mon nouvel appartement, Daisy est heureuse de…

— Je m'en moque complètement, l'interrompit Xander en passant une main dans ses cheveux blonds. Enfin… Oui, bien sûr que je suis ravi que tout se passe bien. Mais si je t'invite à dîner, c'est pour qu'on parle de *nous deux*. Pas de ton nouvel appartement ou de ce que fait Daisy au parc et à l'école.

— Je ne comprends pas, dit-elle en secouant la tête, perplexe.

— C'est ce que je vois, marmonna-t-il. Samantha, j'essaie de te proposer une sortie en tête à tête et, toi, tu n'arrêtes pas de parler de choses et d'autres. Tu te rends compte à quel point c'est frustrant ? A quel point c'est irritant de t'entendre me répéter combien ta vie est belle maintenant, alors que la mienne est un vrai désastre ?

— Ah bon ?

Il confirma d'un signe de tête.

— Je ne peux ni manger ni dormir. Je n'arrive même pas à réfléchir.

Sam n'en croyait pas ses oreilles. L'émotion lui noua la gorge et une faible lueur d'espoir s'alluma dans son cœur. Elle sentit s'alléger le poids qui l'oppressait depuis tant de semaines.

— Mais pourquoi ?

— A ton avis ? grommela-t-il.

— Je ne sais pas…

— Parce que je suis amoureux de toi, bon sang ! Je le suis tellement que rien ni personne ne compte plus pour moi. Ni ma famille. Ni mon entreprise. Rien que toi. Je ne peux penser à rien d'autre qu'à toi. Tu n'imagines pas à quel point tu me manques, à quel point j'ai envie de vous avoir de nouveau dans ma vie, Daisy et toi. A quel point je t'aime.

*
* *

Sam resta de longues secondes hébétée après la tirade de Xander. Elle se pinça discrètement, pour être certaine que la scène était bien réelle.

— Pourtant, tu m'as laissée partir, murmura-t-elle.

Elle se rendit compte qu'elle avait abandonné inconsciemment le vouvoiement.

— Parce que tu as dit que tu *voulais* partir !

— C'était parce que...

Sam inspira profondément, encore sous le choc de la déclaration de Xander.

— Je n'avais pas envie de partir. Tu avais déjà tellement fait pour moi en me sauvant des griffes de Malcolm, en étant si patient et si attentionné avec Daisy. Je ne voulais pas que tu me demandes de rester par compassion ou par charité. Cette idée m'était intolérable. Si tu ne pouvais me considérer comme ton égale...

— Je ne te considère pas comme mon égale, Samantha, l'interrompit-il. Je te considère comme mille fois meilleure que je ne pourrai jamais l'être. Et je t'adore aussi pour ça !

Il se mit à aller et venir dans la pièce.

— Moi, je ne voulais pas que tu restes avec moi par gratitude, poursuivit-il. Pour me remercier de t'avoir aidée à régler la situation avec Howard.

— Eh bien, c'est sûr que je te suis reconnaissante, fit-elle avec un sourire mélancolique, mais ce n'est certainement pas la raison pour laquelle je... j'ai fait l'amour avec toi la veille de cette terrible confrontation avec Malcolm.

— Tu en es certaine ?

— Absolument.

Xander connaissait suffisamment Samantha pour savoir que sa sincérité ne pouvait être mise en doute.

— Alors je ne comprends pas, dit-il en secouant

la tête. Est-ce que tu imagines à quel point tu m'as manqué ? A quel point mon appartement est vide sans toi ? A quel point mon lit est vide sans toi ? Je suis en train de devenir fou, Samantha. Alors s'il te plaît, dis quelque chose !

Sam se leva lentement. La petite lueur d'espoir s'était muée en une lumière éclatante. Le poids du chagrin disparaissait peu à peu.

— Je ne voulais pas te quitter, Xander. Je croyais que tu avais pitié de moi et je ne voulais pas de compassion de ta part. Tu avais déjà tellement fait pour moi que j'ai pensé que la moindre des choses était de te laisser tranquille.

— *Tranquille ?* s'emporta-t-il, passionné. C'est l'enfer sans toi !

Elle tendit la main pour lui effleurer la joue.

— Si je suis partie, c'est uniquement parce que je m'étais rendu compte que j'étais tombée amoureuse de toi.

— *Quoi ?*

Elle esquissa un sourire.

— Je suis amoureuse de toi, Xander. Tellement amoureuse que c'en est douloureux. Tu m'as demandé comment j'allais ? Horriblement mal. J'ai perdu l'appétit. J'ai perdu le sommeil. Je pense tout le temps à toi. Tu me manques tout le temps.

— Comment avons-nous pu être aussi stupides, tous les deux ?

Les traits de Xander se détendirent. Il lui rendit son sourire, puis la prit dans ses bras et la serra contre lui.

— Je t'aime ! soupira-t-il, la tête enfouie dans sa chevelure. Je t'aime, Samantha. Tu ne peux pas savoir quel bien ça m'a fait que tu croies en moi, que tu me fasses confiance quand je doutais terriblement de moi.

— Et tu vois que je ne m'étais pas trompée. Ton attitude protectrice envers ceux qui sont plus faibles que toi est une bénédiction. Tu n'as absolument rien à voir avec des hommes comme ton père et mon ex-mari.

Bouleversé, Xander serra la femme de sa vie encore plus fort contre lui.

— Je me sentais tellement vide sans toi près de moi, Samantha.

— Pour moi aussi, sans toi, c'était un vide impossible à combler.

— Cela veut-il dire que tu accepteras de m'épouser ?

Sam ouvrit des yeux ébahis.

— T'épouser ?

Xander lui prit le visage entre les mains et plongea dans le sien un regard empli de tout l'amour qu'il avait pour cette femme merveilleuse.

— Tu n'es pas obligée de m'épouser immédiatement si c'est trop tôt pour toi. Dis-moi seulement que très bientôt tu seras ma femme. Je t'aime tellement, Samantha chérie ! Et maintenant que je sais que tu m'aimes aussi, la pensée de ne pas être avec toi pour toujours m'est insupportable.

Jamais, même dans ses rêves les plus fous, Sam n'avait imaginé qu'une chose pareille pouvait lui arriver.

Xander l'aimait.

Et elle l'aimait.

Elle non plus ne pouvait supporter l'idée qu'ils ne puissent être réunis pour toujours.

— Oui, je t'épouserai, Xander Sterne, lui répondit-elle avec passion.

— Quand ?

A l'entendre, on aurait cru qu'il y avait urgence en la matière. Elle ne put s'empêcher de rire.

— La semaine prochaine ? Demain ?

Il sourit.

— Tu auras un grand mariage en blanc. Dans une église. Avec la famille et tous nos amis. Et Daisy pourra être ta demoiselle d'honneur.

Sam était certaine que ce n'était un hasard si Xander décrivait un mariage à l'opposé de son union avec Malcolm, célébrée à la va-vite six ans auparavant dans un bureau d'état civil. Et s'il faisait la part belle à Daisy dans ce scénario. C'était une façon élégante de lui dire que leur mariage et leur vie de couple ne ressembleraient aucunement à ce qu'elle avait connu avec Malcolm. Comme si elle avait pu en douter, ne serait-ce qu'une seconde !

A ce moment-là, elle aima Xander plus que jamais ; et elle savait qu'elle l'aimerait toujours.

— C'est parfait, dit-elle, transportée de bonheur.

— *Tu* es parfaite. Je te promets que nous serons très heureux ensemble, Samantha. Nous pourrons acheter une maison, avec un jardin pour Daisy et…

— … et avoir d'autres enfants ? risqua Sam, à la fois timide et prudente. J'ai toujours voulu avoir une grande famille.

— Alors nous aurons une maison pleine d'enfants ! promit-il avec fougue. Avec toi, je serai le plus heureux des hommes. Et mon bonheur sera de faire le tien.

Sam nageait dans un océan de félicité. Xander lui offrait tellement plus que ce qu'elle avait jamais rêvé !

Epilogue

— Qu'est-ce que tu regardes, papa ? demanda Daisy à voix basse.

— Je ne sais pas trop, marmonna Xander en fronçant les sourcils, les yeux fixés sur l'écran de contrôle devant eux.

— Ça ne ressemble pas trop à un bébé, remarqua la fillette.

Assise sur les genoux de Xander, elle regardait elle aussi les images projetées par l'échographe. De fait, ça ne ressemblait pas à un bébé. Certes, on distinguait le bruit sourd d'un battement de cœur, mais il semblait trop rapide ; et puis on voyait incontestablement un trop grand nombre de membres.

La panique le gagna. Il serra la main de Samantha, allongée près d'eux sur la couchette.

— Il y a deux bébés, mon chéri, murmura-t-elle avec douceur, sans doute alarmée par sa mine affolée.

— Quoi ?

— Deux bébés, répéta-t-elle d'une voix émue.

— Deux bébés…, articula-t-il faiblement.

Il comprit alors pourquoi le rythme cardiaque semblait trop rapide : il y avait non pas un cœur mais deux.

— Il semblerait que nous ayons des jumeaux, chéri, dit-elle avec tendresse.

Des jumeaux ? Il n'en revenait pas ! La bouche sèche, il déglutit avec peine.

— C'est incroyable !

— Pas tant que ça, répondit Samantha avec un sourire indulgent. Tu es toi-même un jumeau.

— Des jumeaux ! On a des jumeaux ! s'écria-t-il avec des larmes de joie.

Il mit Daisy debout et se précipita sur sa femme pour la serrer dans ses bras. Samantha l'étreignit à son tour en riant de bonheur.

— Tu peux être sûr que Darius ne va pas se priver de me taquiner, dit-il en lâchant Samantha.

— Mais non.

— Bien sûr que si !

— Je te dis que non, lui assura Sam avec un petit rire.

Plus que jamais son cœur débordait d'amour pour l'homme qui était son époux depuis un an.

— Andy m'a appris hier qu'eux aussi attendaient des jumeaux ! ajouta-t-elle.

— Ha ! Ha ! s'esclaffa Xander avec un sourire triomphal. Ma mère et Charles vont être aux anges quand ils apprendront qu'ils vont avoir quatre petits-enfants d'un coup !

— Ça, c'est sûr.

Pour Sam, Catherine et Charles étaient comme les parents qu'elle avait perdus. Elle n'aurait pu espérer de beaux-parents plus gentils. En plus, ils adoraient Daisy. Il ne faisait aucun doute qu'il y avait dans leurs cœurs suffisamment de place pour une bonne douzaine de petits-enfants !

— Attends, fit Xander avec une grimace comique. Comment je vais m'en sortir si ce sont deux filles, et que je me retrouve avec trois petites Samantha qui me feront faire leurs trente-six mille volontés ? Pas vrai, Daisy ?

— Vois le bon côté des choses, mon chéri. Ce pourrait être deux petits Xander qui feront les quatre cents coups ! Multiplié par deux, ça fera beaucoup pour une seule maman !

— Voulez-vous connaître le sexe des bébés ? demanda le praticien d'une voix douce.

Sam regarda Xander, Xander regarda Sam, puis tous les deux secouèrent la tête en même temps. Filles ou garçons, ils aimeraient leurs enfants d'un amour inconditionnel.

Autant qu'ils s'aimaient l'un l'autre.

Le mois prochain
dans votre collection

Azur

Découvrez la nouvelle grande saga :
Le secret des Harrington

Les Harrington n'ont qu'un but : le pouvoir
Et qu'un rêve : la passion

8 romans inédits à découvrir à partir d'avril 2016

Retrouvez en avril,
dans votre collection
Azur

Le secret d'une nuit d'amour, de Kim Lawrence - N°3695

ENFANT SECRET

Trois ans plus tôt, cacher sa grossesse à Ben Warrender avait semblé à Lily la plus sage des décisions. Après tout, Ben appartenait à l'aristocratie anglaise, était sur le point de se marier, et n'avait sans doute que faire du fruit d'une nuit sans lendemain. Pourtant, lorsqu'elle le voit apparaître sur l'île où elle passe quelques jours de vacances, Lily comprend qu'elle s'est lourdement trompée. Avec des éclairs de colère dans son beau regard bleu, Ben lui annonce de but en blanc avoir appris qu'il est le père de sa petite Emmy. Et qu'il est bien déterminé à faire dorénavant partie de leur vie, à leur fille et à elle…

Une étreinte à Rio, de Maya Blake - N°3696

Reyes aurait dû s'en douter : quand on est prince de Santo Sierra, on ne peut espérer être aimé pour soi-même. Mais alors, pourquoi diable a-t-il succombé au charme de Jasmine, la ravissante inconnue qu'il a rencontrée lors de la signature du traité Santo-Valderra, à Rio de Janeiro ? Une erreur qu'il ne peut se pardonner : non contente de trahir sa confiance en volant le traité secret, la perfide a mis à mal ses relations avec le royaume de Valderra. Autant dire que la revoir, un mois plus tard, à Londres fait naître en lui une rage destructrice… qu'il ne peut plus assouvir. Car Jasmine Nichols, la voleuse, est aussi la future mère de son enfant.

La caresse de son ennemi, de Rachael Thomas - N°3697

Voilà un an que Sébastien, son frère adoré, est mort. Un an que Charlie n'a plus trouvé le repos. Comment un pilote de course mondialement reconnu a-t-il pu avoir un accident lors d'un simple tour d'essai ? Une question qu'elle tient à tout prix à éclaircir. Aussi, lorsqu'elle est invitée en Italie par le partenaire en affaires de Sébastien pour assister au lancement du véhicule conçu par son frère, décide-t-elle d'accepter. Tant pis si Alessandro Roselli la trouble plus qu'aucun autre homme avant lui : elle sera assez forte pour se consacrer uniquement à son enquête. C'est pourtant sans compter sur le désir réciproque qui brille dans les yeux d'Alessandro. Prise au piège de la tentation, Charlie retrouve sous le regard de cet homme mystérieux les mêmes sensations qu'au volant d'une voiture de course : plaisir intense et ivresse du danger…

Un piège au bout du monde, de Natalie Anderson - N°3698

Rester enfermée toute une nuit avec Jack Wolfe, dans ce domaine de rêve au cœur de la forêt vierge australienne ? Ce n'est absolument pas ce que Stephanie avait prévu. Elle ne voulait rien d'autre que vendre son travail de blogueuse au puissant éditeur, pour enfin pouvoir prendre soin de son petit frère handicapé. Seulement voilà, il est difficile de résister à cet homme autoritaire et Stephanie est tentée d'accepter, même si le désir menace de la submerger... mais également de la mettre en danger. Car si elle passe la nuit auprès de Jack comme tous ses sens l'y invitent, il risque de découvrir que sa notoriété ne repose que sur un mensonge…

Le fiancé argentin, de Melanie Milburne - N°3699

Elle devra se marier, ou elle perdra son héritage, ce domaine de Marlstone Manor qu'elle chérit plus que tout au monde. Un dilemme bien cruel pour Theodora d'autant qu'elle découvre bientôt le nom du fiancé que son père lui a choisi avant sa mort : Alejandro Valquez. Sublime, charismatique, impitoyable, exactement le genre de personnage que le vieil homme voulait pour gendre… et que Theodora aurait été bien incapable de séduire par elle-même. Car Alejandro ne cache pas le désintérêt qu'elle lui inspire : il s'agira d'un mariage de façade, rien de plus, même s'ils vivront ensemble en Argentine. Tiraillée entre haine et désir, Theodora n'a pourtant d'autre choix que d'accepter cette offre qui la révulse…

Bouleversante proposition, de Kate Hewitt - N°3700

SÉRIE : LA PROMESSE DES MARAKAIOS - 2ᴱ VOLET

Un solitaire, offert par Leonidas Marakaios, l'homme le plus séduisant dont on puisse rêver. Margo ne devrait-elle pas être aux anges ? Pourtant, c'est plutôt la stupeur qui l'emporte. Pourquoi son amant occasionnel voudrait-il soudainement officialiser leur union ? Margo sait très bien que Leonidas ne l'aime pas, il ne s'en est jamais caché, et elle n'a que faire d'un mariage de convenance. Alors, très vite, sa décision est prise : même si cela doit lui briser le cœur, elle se séparera du beau Grec pour préserver sa carrière et son indépendance, mais surtout pour échapper à une vie sans amour auprès d'un homme qu'elle persiste à désirer avec une force inouïe…

Le devoir d'un cheikh, de Carol Marinelli - N°3701

Doit-il choisir pour épouse la princesse qui possède le plus grand royaume ? Ou celle qui dispose de l'armée la plus puissante ? Le cheikh Zahid, prince d'Ishla, le sait : ce n'est pas sur le critère de ses préférences qu'il doit choisir sa future femme, mais sur celui du bien-être de son peuple. Voilà pourquoi les sentiments violents qu'il ressent en revoyant Trinity Foster, après des années de séparation, font naître en lui une colère sourde. La jeune femme est plus irrésistible encore que dans son souvenir, et il souhaiterait plus que tout l'emmener à Ishla. Mais c'est tout simplement impensable : il admire la jeune héritière pour sa liberté, sa fougue et sa rébellion. Autant de qualités qui feraient d'elle la pire des reines…

Le goût de l'interdit, de Maggie Cox - N°3702

SÉRIE : L'AMOUR EN SEPT PÉCHÉS - 4E VOLET

Eugene Bonnaire n'est pas homme à tergiverser. Lorsqu'il a jeté son dévolu sur la boutique d'antiquités gérée par Rose Heathcote, il s'est donc assuré de faire au propriétaire une offre impossible à décliner. Bien sûr, la ravissante jeune femme tente de s'opposer à son projet, refusant visiblement que le magasin soit transformé en restaurant branché, mais ce n'est pas le genre d'intervention dont Eugene fait grand cas, habituellement. Cette fois, cependant, il ne peut s'empêcher d'être intrigué. Rose semble plus déterminée qu'aucune autre de ses adversaires avant elle, et va jusqu'à refuser de dîner avec lui ! Une rébellion inattendue qui le met en grand appétit... Il n'a plus faim d'affaires, mais serait prêt à tout pour dévorer le corps sensuel de Rose.

Dans la nuit du désert, de Maisey Yates - N°3703

SÉRIE : LE SECRET DES HARRINGTON - 1ER VOLET

C'est bien malgré elle que Sophie a surpris le secret de l'impétueux cheikh Zayn Al-Ahmar. Alors qu'elle se trouvait au mauvais endroit, au mauvais moment, elle n'a pu s'empêcher d'entendre que la princesse Leila, sa sœur, était enceinte d'un séducteur sans scrupules. Pourtant, le cheikh ne semble pas vouloir prendre en compte l'innocence de ses intentions et l'oblige à le suivre au Surhaadi, où elle sera sous surveillance et n'aura aucun moyen d'ébruiter ce scandale. Malgré la colère qu'elle ressent contre son geôlier, Sophie ne peut s'empêcher d'être irrésistiblement attirée... jusqu'au jour où le cheikh l'invite à passer quelques nuits dans le désert, loin de tout. Elle comprend alors qu'elle ne pourra pas lui résister très longtemps...

Le défi d'Alex Wolfe, de Robyn Grady - N°3704

SÉRIE : SCANDALEUX HÉRITIERS - 4E VOLET

En voyant arriver chez lui la kinésithérapeute engagée par son coach, Alex Wolfe se sent tout de suite envahi par un désir aussi imprévu que fulgurant. En une fraction de seconde, il décide qu'il va séduire la belle Libby Henderson et, pour cela, briser sa réserve et son apparente froideur. Une occupation délicieuse, pour lui qui doit patienter six longues semaines avant de retrouver les circuits, dont le prive une blessure à l'épaule. Sans compter que, s'il parvient à mettre la jeune femme dans son lit, il obtiendra sans nul doute plus facilement de sa part l'accord dont il a besoin pour participer au prochain Grand Prix...

OFFRE DE BIENVENUE

Vous êtes fan de la collection Azur ?
Pour prolonger le plaisir, recevez gratuitement

◆ 2 livres Azur gratuits ◆
et 2 cadeaux surprise !

Une fois votre colis de bienvenue reçu, si vous souhaitez continuer à recevoir nos romans Azur, cela se fera automatiquement. Vous recevrez alors chaque mois 6 romans inédits de cette collection au tarif unitaire de 4,30€ (Frais de port France : 1,79€ - Frais de port Belgique : 3,79€).

➡ **LES BONNES RAISONS DE S'ABONNER :**

Aucun engagement de durée ni de minimum d'achat.

◆

Aucune adhésion à un club.

◆

Vos romans en avant-première.

◆

La livraison à domicile.

➡ **ET AUSSI DES AVANTAGES EXCLUSIFS :**

Des cadeaux tout au long de l'année.

◆

Des réductions sur vos romans par le biais de nombreuses promotions.

◆

Des romans exclusivement réédités notamment des sagas à succès.

◆

L'abonnement systématique et gratuit à notre magazine d'actu ROMANCE.

◆

Des points fidélité échangeables contre des livres ou des cadeaux.

➡ **REJOIGNEZ-NOUS VITE EN COMPLÉTANT ET EN NOUS RENVOYANT LE BULLETIN**

Vous n'avez pas le temps de lire tous les
romans Harlequin ce mois-ci ?
**Découvrez les 4 meilleurs
avec notre sélection :**

[COUP DE
CŒUR]

HARLEQUIN
www.harlequin.fr

⟨H⟩ HARLEQUIN

La romance sur tous les tons

Toutes nos actualités et exclusivités sont sur notre site internet.

E-books, promotions, avis des lectrices, lecture en ligne gratuite, infos sur les auteurs, jeux-concours… et bien d'autres surprises !

Rendez-vous sur

www.harlequin.fr

 facebook.com/LesEditionsHarlequin

twitter.com/harlequinfrance

pinterest.com/harlequinfrance

⟨H⟩ HARLEQUIN
www.harlequin.fr

OFFRE DÉCOUVERTE !

Vous souhaitez découvrir nos collections ? Recevez **votre 1er colis gratuit*** avec 2 cadeaux surprise ! Une fois votre colis de bienvenue reçu, si vous souhaitez continuer à recevoir nos romans, cela se fera automatiquement. Vous recevrez alors chaque mois vos romans inédits en avant première.

Vous n'avez aucune obligation d'achat et cette offre est sans engagement de durée !

*1 livre offert + 2 cadeaux / 2 livres pour la collection Azur offerts + 2 cadeaux.

☛ COCHEZ la collection choisie et renvoyez cette page au
Service Lectrices Harlequin – BP 20008 – 59718 Lille Cedex 9 – France

Collections	Références	Prix colis France* / Belgique*
❏ **AZUR**	ZZ6F56/ZZ6FB2	6 romans par mois 27,59€ / 29,59€
❏ **BLANCHE**	BZ6F53/BZ6FB2	3 volumes doubles par mois 22,90€ / 24,90€
❏ **LES HISTORIQUES**	HZ6F52/HZ6FB2	2 romans par mois 16,29€ / 18,29€
❏ **ISPAHAN**	YZ6F53/YZ6FB2	3 volumes doubles tous les deux mois 22,96€ / 24,97€
❏ **MAXI****	CZ6F54/CZ6FB2	4 volumes multiples tous les deux mois 32,35€ / 34,35€
❏ **PASSIONS**	RZ6F53/RZ6FB2	3 volumes doubles par mois 24,19€ / 26,19€
❏ **NOCTURNE**	TZ6F52/TZ6FB2	2 romans tous les deux mois 16,29€ / 18,29€
❏ **BLACK ROSE**	IZ6F53/IZ6FB2	3 volumes doubles par mois 24,34€ / 26,34€
❏ **SEXY**	KZ6F52/KZ6FB2	2 romans tous les deux mois 16,65€ / 18,65€
❏ **SAGAS**	NZ6F54/NZ6FB2	4 romans tous les deux mois 30,85€ / 32,85€

*Frais d'envoi inclus, pour ISPAHAN : 1er colis payant à 13,98€ + 1 cadeau surprise.

Par la suite, colis à 22,96€ (24,97€ pour la Belgique).

**L'abonnement Maxi est composé de 4 volumes Hors-Série.

N° d'abonnée Harlequin (si vous en avez un) ⎕⎕⎕⎕⎕⎕⎕⎕

Mme ❏ Mlle ❏   Nom : _____

Prénom : _____   Adresse : _____

Code Postal : ⎕⎕⎕⎕⎕   Ville : _____

Pays : _____   Tél. : ⎕⎕⎕⎕⎕⎕⎕⎕⎕⎕

E-mail : _____

Date de naissance : _____

❏ Oui, je souhaite recevoir par e-mail les offres promotionnelles des éditions Harlequin.
❏ Oui, je souhaite recevoir par e-mail les offres promotionnelles des partenaires des éditions Harlequin.

Date limite : 31 décembre 2016. Vous recevrez votre colis environ 20 jours après réception de ce bon. Offre soumise à acceptation et réservée aux personnes majeures, résidant en France métropolitaine et Belgique, dans la limite des stocks disponibles. Prix susceptibles de modification en cours d'année. Conformément à la loi Informatique et libertés du 6 janvier 1978, vous disposez d'un droit d'accès et de rectification aux données personnelles vous concernant. Par notre intermédiaire, vous pouvez être amenée à recevoir des propositions d'autres entreprises. Si vous ne le souhaitez pas, il vous suffit de nous écrire en nous indiquant vos nom, prénom et adresse à : Service Lectrices Harlequin BP 20008 59718 LILLE Cedex 9. Service Lectrices disponible du lundi au vendredi de 8h à 17h : 01 45 82 47 47 ou 33 1 45 82 47 47 pour la Belgique.

Composé et édité par HARLEQUIN

Achevé d'imprimer en février 2016

Barcelone

Dépôt légal : mars 2016

Pour l'éditeur, le principe est d'utiliser des papiers
composés de fibres naturelles, renouvelables, recyclables,
et fabriquées à partir de bois issus de forêts gérées selon
un système d'aménagement durable. En outre, l'éditeur attend
de ses fournisseurs de papier qu'ils s'inscrivent dans
une démarche de certification environnementale reconnue.

Imprimé en Espagne